CROCODILO

JAVIER ARANCIBIA CONTRERAS

Crocodilo
Romance

Copyright © 2019 by Javier Arancibia Contreras

Grafia atualizada segundo o Acordo Ortográfico da Língua Portuguesa de 1990, que entrou em vigor no Brasil em 2009.

Capa
Rodrigo Pimenta

Foto de capa
Istvan Kadar Photography

Preparação
Ana Martini

Revisão
Jane Pessoa
Angela das Neves

Os personagens e as situações desta obra são reais apenas no universo da ficção; não se referem a pessoas e fatos concretos, e não emitem opinião sobre eles.

Dados Internacionais de Catalogação na Publicação (CIP)
(Câmara Brasileira do Livro, SP, Brasil)

Contreras, Javier Arancibia.
    Crocodilo : romance / Javier Arancibia Contreras. — 1ª ed.
— São Paulo : Companhia das Letras, 2019.

    ISBN 978-85-359-3281-2

    1. Romance brasileiro I. Título.

19-29011   CDD-B869.3

Índice para catálogo sistemático:
1. Romances : Literatura brasileira B869.3
Cibele Maria Dias — Bibliotecária — CRB-8/9427

[2019]
Todos os direitos desta edição reservados à
EDITORA SCHWARCZ S.A.
Rua Bandeira Paulista, 702, cj. 32
04532-002 — São Paulo — SP
Telefone: (11) 3707-3500
www.companhiadasletras.com.br
www.blogdacompanhia.com.br
facebook.com/companhiadasletras
instagram.com/companhiadasletras
twitter.com/cialetras

*Só existe um problema filosófico realmente sério:
o suicídio.*

Albert Camus, *O mito de Sísifo*

DIA ZERO

Hoje, meu filho Pedro pulou da janela do seu apartamento. Ele morava no décimo primeiro andar de um edifício antigo, de arquitetura clássica, em uma rua pequena e charmosa, tomada de árvores, que destoava muito das amplas e movimentadas avenidas ao redor. Ainda que houvesse sua cota de circulação de pessoas, o lugar era quase uma ilha de tranquilidade em meio ao caos do centro da cidade. Isso, porém, não deve ter feito a menor diferença no momento em que Pedro decidiu se jogar lá de cima e quebrar, com essa atitude, o clima de harmonia daquele pequeno trecho do bairro.

"Morreu na hora, instantaneamente", me disseram no IML.

Fui para lá cerca de duas ou três horas depois do incidente. Tempo que policiais, bombeiros e paramédicos levaram para chegar ao local, isolar o perímetro, identificar a vítima, conseguir o telefone de um parente e recolher o corpo desarticulado da via pública, colocando-o dentro de um saco emborrachado cinza com zíper — daqueles que vemos mais em filmes que na vida real —, usado para transportar cadáveres.

"Ele não sentiu dor", completaram os médicos-legistas, baixando os olhos ingenuamente, por apenas um segundo, na direção dos sapatos.

Aquilo não deixava as coisas mais claras. Devia ser apenas uma técnica usada para diminuir o sofrimento dos parentes. Uma espécie de protocolo estabelecido pelos profissionais que lidam com a morte diariamente. Um pacto inconsciente e sentimental entre eles para amenizar o desespero dos familiares da vítima em qualquer ambiente em que pudessem encontrá-los. Um afago de piedade.

Quanto a mim, me recuso a acreditar que o Pedro não tenha sentido qualquer tipo de dor ao se espatifar no asfalto. Morreria o corpo do meu filho assim, num átimo, um segundo depois do impacto? Ou seus órgãos, músculos e nervos explodiriam, pululando e se desintegrando internamente por algum tempo, o mínimo que fosse, em uma jornada de dor até a chegada da morte, que ninguém perceberia a não ser ele mesmo?

A verdade é que nunca saberei o que aconteceu naquele fim de tarde porque o Pedro, definitivamente, estava morto. Só me restava então especular sobre toda a situação e, com isso, alimentar a chama cruel da dúvida. Um sentimento talvez ainda pior do que a própria perda.

Estavam com os documentos do Pedro e, antes de fazerem a autópsia característica dos casos de morte violenta, tive que reconhecer o corpo. Marta, que devido ao trânsito caótico do início da noite chegara depois da minha primeira conversa com os legistas, queria entrar na sala gelada dos cadáveres de qualquer jeito. De imediato, não permiti. Seu corpo tremia demais e ela não conseguia dizer muita coisa que eu pudesse compreender. As lágrimas se misturavam à coriza do nariz enquanto ela chorava em silêncio e me apertava os braços com tanta força que cheguei a sangrar.

Marta era uma mulher forte e sóbria. Eu nunca a tinha visto daquela maneira. Estava em meio a uma terrível crise de nervos e, naquele momento, achei que seria melhor se ela visse o Pedro apenas na última etapa daquele processo doloroso, na preparação do velório, depois que os legistas retalhassem, abrissem e costurassem todo o corpo do nosso filho em busca de evidências e da causa mortis. E, sobretudo, depois que os profissionais do serviço funerário consertassem o rosto e o corpo dele, o vestissem adequadamente e, de alguma forma, conseguissem maquiar a tragédia.

Um dos médicos se aproximou de mim, viu os pequenos filetes de sangue brotando vagarosamente da pele fina dos meus braços, própria da velhice, e disse que Marta estava tendo um ataque de histeria. Perguntou se eu achava melhor sedá-la. No desespero de ver a minha mulher daquele jeito e, mais que isso, covarde a ponto de não ter a menor ideia do que dizer a ela naquele momento impensável, meneei a cabeça positivamente. Logo, o médico reapareceu com um sedativo e o aplicou com destreza no braço de Marta, que, com uma força desproporcional, teve de ser contida por mim e mais um.

Depois de vê-la desfalecer e, com a ajuda dos médicos, acomodá-la em um sofá apertado dentro do pequeno escritório do instituto, me senti uma pessoa horrível e cruel. Soube naquele instante que Marta alimentaria, pelo resto de sua vida, um rancor por causa da minha atitude. Afinal, quem era eu para impedi-la de sofrer, de iniciar seu luto?

Foi assim que entrei sozinho naquela sala fria e impessoal, sob os olhares pegajosos de comiseração da equipe do IML. Lá estava meu filho, estirado sobre uma maca metálica no canto do lugar. Assim que me aproximei, sem sequer pedir permissão aos legistas, arranquei o lençol verde-água de cima dele. Era, sim, o Pedro. Mas também não era. Ele estava nu, e isso me causou um grande estranhamento. Não me lembrava de ter visto meu filho nu desde o fim da infância, quando começamos a nos esconder e a estabelecer limites no relacionamento com os pais.

Embora apresentasse muitos hematomas e fraturas, seu corpo magro e longilíneo estava limpo e exalava um cheiro agradável de sabão neutro. Tinha sido lavado antes da entrada dos familiares. Entretanto, o corpo parecia mais branco que o normal, e logo raciocinei que ali, naquele momento, Pedro era só um cadáver, e os cadáveres têm mesmo esse aspecto pálido devido à falta de circulação do sangue.

Observei seus pés grandes e ossudos, suas pernas de poucos pelos e me fixei por um longo tempo em seu pênis flácido, pensando inadequadamente nas experiências sexuais que o meu filho não mais teria. Subi o olhar pelas costelas quebradas e afundadas na carne e, de uma maneira estranha, seu corpo parecia murcho, oco. Analisei todo aquele cenário com meu pragmatismo habitual e irritante, e pensei que talvez ele tivesse caído errado, se é que existe uma forma correta de cair, e, por esse motivo, havia se machucado tanto. Os dois braços na altura dos cotovelos e dos antebraços também estavam fraturados e, por essa razão, eu só pude compreender que, no último momento, num raciocínio equilibrado tardio, Pedro tivesse desistido daquela loucura e tentado, de alguma forma, amenizar a queda.

A cabeça também havia batido forte e o rosto estava bastante machucado. A orelha esquerda tinha sido praticamente esmigalhada, e esse lado do rosto tinha afundado um pouco devido aos ossos quebrados. Ele também perdera alguns dentes, o que pude ver por uma pequena fresta da boca, provavelmente uma falha de quem ajeitara o corpo para o reconhecimento. Uma pena, porque o Pedro tinha um sorriso cativante. Mas isso já não tinha nenhuma importância. No velório, todos os mortos ficam de boca fechada. Isso se conseguíssemos fazer um velório com caixão aberto.

Dei um passo para trás e, ao observar de uma distância maior o corpo de pouco mais de um metro e oitenta do meu filho morto, tive pensamentos estranhos e fora de hora. Eu não fazia ideia de quantos metros equivalia o décimo primeiro andar de um prédio como o dele, por exemplo. Comecei a pensar e cheguei à conclusão de que, se cada andar de um prédio residencial equivale em média a três metros de altura, ele teria caído de uma altura de trinta e poucos metros. Mais tarde descobri que esse era o tamanho da maior baleia-azul já encontrada no mundo e, por um segundo, achei bonito. Ou, bem menos poético, o tamanho de um Boeing 737. Não parece muito, pensando assim. Mas é o suficiente.

Algum tempo depois, Marta acordou. Estava meio zonza, grogue pela medicação. Já não tinha forças para nada. Eu a abracei com todo o cuidado que pude e ela logo voltou a chorar em silêncio, balbuciando que Pedro havia caído após um acidente doméstico. Claro. Trocando as cortinas da sala. Ou, talvez, limpando as janelas sujas da poluição e da merda dos pombos do lado de fora. Ou então, num vacilo qualquer, chapado demais depois de fumar a maconha de que tanto gostava.

Ali, naquele momento, Marta não queria saber o motivo verdadeiro da morte do Pedro. Não queria acreditar que aquilo estivesse acontecendo. Jamais se imaginou mãe de um filho suicida. Ninguém jamais se imaginaria mãe ou pai de um suicida. O silêncio e a covardia colaboraram para contaminar o ambiente. Eu mesmo não toquei no assunto, nem os legistas nos ajudaram a enfrentar a realidade. Em nenhum momento qualquer um de nós pronunciou a palavra dura e incômoda que se tornou um tabu de proporções universais: suicídio. Preferimos dizer: tragédia.

É quase sempre assim. A palavra é escamoteada desde o início, e vai permanecendo na obscuridade das entrelinhas até finalmente todas as pessoas, das mais distantes às mais próximas, saírem do luto e resolverem seguir suas próprias vidas. Então voltam a dormir bem, a fazer compras, a sair com os amigos, a rir de piadas, a ir ao cinema, a trabalhar, a transar. Afinal, não foram elas que decidiram pular e abandonar o barco. A partir daí, restam apenas os familiares mais próximos, que em algum momento também acabam retomando seu ritmo de vida, e então, por último, os pais e os irmãos.

O nosso problema é que o Pedro era filho único. Então seríamos novamente Marta e eu. Como no início, antes dele. Só que três décadas mais velhos.

Quando Marta ficou um pouco mais calma, os legistas a deixaram entrar. Ao passar pela porta, porém, ela se esquivou de nós, correu e se atracou ao corpo do Pedro de um jeito bastante doloroso. Sofria em silêncio. Parecia engolir aquele sentimento ruim de tal maneira que poderia sufocar a qualquer momento. Era estranho ver Marta sob aquele ângulo. Parecia outra mulher, sem a blindagem da intelectualidade, da sobriedade e do bom senso.

Marta engravidou de Pedro após duas gestações interrompidas. Na primeira, fez um aborto aos dezoito anos. Foi bem no início da gravidez, e Marta tomou remédios abortivos e fez curetagem numa clínica clandestina. Na época em que me confidenciou aquilo, porém, não me pareceu ter sido um acontecimento especialmente traumático. Para se justificar, disse que ela e o namorado decidiram em comum acordo porque, além de serem muito jovens, ambos haviam acabado de entrar na universidade. Depois daquilo, entretanto, eles nunca mais se viram.

Já a segunda interrupção de gravidez foi involuntária e aconteceu quando Marta começava, de forma sistemática, a levar as coisas dela para o meu apartamento, depois de alguns meses de relacionamento. Eu já havia rompido a barreira dos quarenta anos e não pensava em ter filhos, mas ao mesmo tempo estava perdidamente apaixonado por Marta, uma mulher bem mais nova, de apenas vinte e oito anos, linda, de personalidade intensa, independente e com a sexualidade à flor da pele. Na época, tudo o que eu queria era ficar com aquela mulher. Cogitei até casamento, e talvez, com isso, eu tenha deixado uma fresta aberta para sempre. Uma pequena possibilidade. Uma probabilidade estatística que se desenhava na mesma medida em que fazíamos sexo indiscriminadamente com o furor dos inícios de relacionamentos.

Então, um dia, depois de se trancar por um longo tempo no banheiro do nosso quarto, Marta saiu chorando, vestida apenas com uma velha camiseta minha e com um daqueles testes descartáveis de farmácia na mão. Eu não sabia se estava chorando de alegria ou de desespero. Nunca perguntei, mas, no íntimo, sempre achei que Marta também não desejava aquele filho. Não naquele momento.

Quanto a mim, o que eu poderia fazer? Gritar a verdade na cara dela? Que eu não queria filhos? Sugerir que talvez ela devesse fazer outro aborto? Ao olhar para ela, no entanto, compreendi que eu estava completamente errado. O caso é que Marta e eu estávamos apaixonados e, por isso, sem muito drama, resolvemos ter o bebê. Ela então foi morar comigo em definitivo e, aos poucos, eu comecei a me acostumar com a ideia de ser pai. E Marta com a de ser mãe, já que, afinal de contas, era ela quem passaria por todas as transformações físicas e psicológicas que envolvem a maternidade.

Na época, eu era editor de política do maior jornal do país. Marta também era jornalista, mas, havia pouco tempo, decidira largar o emprego na redação para voltar a estudar. Apaixonada por livros, engrenara num curso de produção editorial e logo estava trabalhando numa pequena editora. Com tudo isso acontecendo e com a notícia da gravidez, decidimos nos casar.

Posso dizer que fomos felizes naquela época. Fizemos planos, pesquisamos nomes e suas etimologias e numerologias, pintamos juntos o quarto do bebê, após o ultrassom escrevemos o nome escolhido com caneta piloto na barriga de Marta, decidimos em qual hospital ele nasceria e até fizemos o enfadonho e tradicional chá de bebê. Enfim, todas as alegorias e os clichês de pais de primeira viagem.

Mas, então, de uma hora para outra, deu tudo errado. No sétimo e já se aproximando do oitavo mês de gestação, Marta teve um mal súbito e precisou ser levada emergencialmente ao hospital. Uma vizinha se encarregou disso, já que eu estava do outro lado da cidade, em pleno fechamento do jornal, e não conseguiria chegar a tempo. Quando coloquei os pés no hospital, fiquei sabendo da notícia. O bebê, de alguma forma, nascera prematuro e morto. Não havia uma causa, uma resposta imediata. Também não havia nenhum indício de nada fora do normal nos exames que havíamos feito preliminarmente. A gravidez de Marta nunca fora considerada de risco pelos médicos. Ela inclusive continuava a trabalhar e a frequentar as aulas na universidade, mesmo grávida. Dirigia grávida. Fazia compras grávida. Se exercitava grávida. Transava grávida.

A dor de perder um filho prestes a nascer acabou por nos afastar. Aqueles quase oito meses de uma felicidade nova para mim se transformaram num tempo dobrado de tristeza e melancolia, velhas companheiras que eu havia deixado de lado. A primeira coisa que fiz, sem nem ao menos consultar Marta, foi trancar o quarto preparado para receber o bebê. Repleto de bibelôs, quadros, bichos de pelúcia, cortina colorida, móbile, luminária giratória, papel de parede, além da confortável poltrona de veludo que compramos para a futura mãe amamentar.

Marta, então, se tornou sombria. O luto fez com que ela perdesse tudo. Não tinha mais aquela luminosidade natural. Andava com roupas feias e desalinhadas, pouco ou nada asseada, e passou a prender o cabelo cacheado num coque no alto da cabeça, quase sempre sujo. Em algumas oportunidades, na cama antes de dormir, fui obrigado a me acostumar com seu mau cheiro. Também cultivava olheiras profundas, tinha os olhos opacos e a magreza imperou em seu corpo sempre em forma. Uma vez, a mesma vizinha que a socorrera me contou que a havia visto passeando na rua com o carrinho de bebê que eu acreditava estar na caixa lacrada na bagunça da nossa área de serviço. Não raras vezes, flagrei-a falando sozinha no apartamento.

Eu sentia um estranho vazio que surgia volta e meia e parecia cada vez mais intenso, como um buraco profundo que às vezes me impedia de respirar. Nesses momentos, meu único raciocínio era de que precisava manter o foco no trabalho, já que Marta, além de ter abandonado o emprego, também havia trancado a matrícula de seu curso. Para mim, porém, não existia uma licença-luto para um filho que não nascera. Tudo o que recebi foram abraços de condolências, tapinhas nas costas, palavras sóbrias de conforto e olhares piedosos dos meus colegas de jornal. Entretanto, no dia seguinte, as notícias continuavam a acontecer na velocidade habitual, outras pessoas morriam das mais diferentes maneiras e o cotidiano seguia sua normalidade, como se um fato atropelasse o outro e a vida fosse assim mesmo.

Quando chegava em casa — cada vez mais tarde para não ter de encontrá-la e, muitas vezes, bêbado —, Marta me olhava de um jeito esquisito como se eu tivesse culpa de alguma coisa. Como se retomar minha rotina fosse um pecado ou uma contradição à dor. Como se dormir um sono pesado depois de um dia cansativo de trabalho fosse errado. Como se sair para beber fosse sinal de felicidade. Marta devia achar, por algum motivo que nunca saberei, que eu estava aliviado com a morte do bebê. Por isso sempre me tratava com aquela indiferença mortal. Eu tentava conversar com ela, oferecia ajuda, sugeria que procurasse um profissional e dizia que iríamos juntos, mas Marta me retribuía com um silêncio duro e ríspido. Também pedia que amigos a visitassem, o que ela odiava. Tratava-os mal e quase os expulsava de casa, isso quando abria a porta. Eu não sabia mais o que fazer. Então, em um momento qualquer, deixei-a em paz.

Comecei, então, a sair com uma repórter do jornal e, ainda que em alguns momentos aquilo fizesse com que eu me sentisse vivo, não demorou muito para terminarmos. Tive mais um ou dois casos esporádicos naquele período. Demorou meses, não sei o que houve, mas com o tempo Marta voltou a fazer sua higiene pessoal e a se vestir adequadamente. Aos poucos, voltamos a conversar, mas aquele tipo automático de conversa entre jornalistas. Basicamente comentávamos os noticiários, quase sempre sem nenhuma vontade. No início, parecíamos dois estranhos em um elevador falando sobre o tempo. Então, em algum momento, voltamos a sorrir um para o outro. Voltamos a jantar fora. A conversar sobre outros assuntos. A viajar. A transar, depois de um ano e meio. Foi um tempo bom em que não pensávamos mais num futuro como pais. Nosso foco se limitava às nossas carreiras. Eu estava cotado para assumir o cargo de chefia de reportagem do jornal e Marta, que voltara a estudar, finalizava seu curso ao mesmo tempo que arrumara um novo emprego. Foram dois anos nos quais restabelecemos o respeito e a compreensão e, talvez, o amor.

Aí aconteceu de novo. Parecia um maldito déjà-vu. Novamente flagrei Marta dentro do mesmo banheiro. Daquela vez também ela não quis abrir a porta e, sendo assim, eu já desconfiava do motivo. Me afastei calmamente e fui até a sala. Assim que tomei distância de Marta, me amaldiçoei por ter prorrogado tanto a decisão de fazer a vasectomia. A culpa era minha. Resmunguei, soquei minha própria cabeça e depois a parede. Ainda era de manhã, mas mesmo assim me servi de um uísque. Naquele momento, por tudo o que havíamos passado, tudo o que eu não queria era ser pai. Como podíamos ter sido tão descuidados?

Novamente, o que eu poderia dizer? Que não queria que ela sofresse outra decepção, que não gostaria de ter outra experiência traumática, que um filho atrapalharia minha dinâmica na chefia de reportagem do maior jornal do país e também a ela em seu novo trabalho, que pretendia continuar jantando fora em bons restaurantes, indo a festas, fumando baseados e ficando bêbado de vez em quando, que não estava disposto a transformar domingos preguiçosos em dias dinâmicos e noites de sono em madrugadas insones, que gostaria de manter a frequência de viagens com ela para lugares que ainda não conhecíamos e, assim, continuar a ter uma vida sexual ativa e intensa, que simplesmente não queria ter de dividir minha mulher com um bebê?

Marta surgiu momentos depois. Não parecia estar chorando como da outra vez. Pelo contrário. Estava com o semblante da Marta de quando eu a conheci. Determinada. Forte. Pouco ou nada aberta a concessões.

"Eu vou ter esse filho", ela me disse, enfim, com o rosto impassível e com certa raiva na voz.

Com isso, eu não pude dizer nada. Apenas me calei. Compreendi naquele momento que, por mais que eu estivesse disposto a desistir da paternidade aos quarenta e cinco anos de idade, essa decisão cabia exclusivamente a ela.

E quase três décadas depois, numa sala gelada do IML, ao rememorar aquele momento decisivo de nossas vidas e ao mesmo tempo vê-la exposta e machucada daquela maneira, um pensamento terrível e mesquinho me tomou de assalto: se Marta soubesse ali, no exato instante em que saiu do banheiro, no segundo em que decidiu dizer "eu vou ter esse filho", que esse filho, o nosso filho, seria o Pedro e que ele nos causaria vinte e oito anos depois uma dor insuportável e incurável, mais que isso, uma dor eterna, ela ainda assim teria seguido em frente?

DIA 1

Pedro se matou no pior horário possível. No limiar entre o fim da tarde e o início da noite. Hora do rush. Hora que a edição do jornal começa a fechar. Hora em que Marta faz ioga e, por isso, desliga o celular e fica incomunicável. Hora imprópria para todos nós, mas acho que para um suicida não há dia, tarde ou noite. O tempo deve ficar estagnado, em suspenso.

Pedro também foi imprudente. Por mais que sua rua fosse tranquila, era hora de movimento em todos os lugares. Adolescentes voltando do colégio, pais cansados vindos do trabalho, pessoas indo ao supermercado ou à padaria, crianças passeando com seus cães, mães com seus carrinhos de bebê. Será que ele teve essa percepção antes de se atirar pela janela? Teria dado uma olhada lá embaixo? Calculado que chegaria ao seu destino antes que alguém do outro lado da calçada tivesse tempo de atravessar a rua? E se o Pedro, sem querer, tivesse matado alguém? Suicida e homicida. Qual seria o título da matéria noticiando essa dupla morte?

Foram esses pensamentos um tanto esquisitos que me ocorreram nos pequenos intervalos que tivemos ao passar a noite em claro para resolver os trâmites burocráticos que envolviam a morte do nosso filho. Boletim de ocorrência, atestado de óbito, liberação do corpo, funerária, caixão. Pedro não deve ter cogitado nem por um segundo que morrer dá muito trabalho aos que ficam. Nem sei dizer de onde Marta tirou forças para fazer todas aquelas coisas comigo. Na verdade, ela tomara a frente de tudo. Depois de se agarrar ao cadáver do Pedro naquela noite no IML, Marta se transformara.

Quase no fim de tudo, porém, já pela manhã, chegamos a um impasse. Não sabíamos se o enterrávamos ou se o cremávamos. Marta e eu não tínhamos uma opinião formada sobre isso, nunca ouvimos do Pedro uma palavra sequer sobre a morte. Eu mesmo nunca havia pensado de que maneira gostaria que meu corpo fosse suprimido do mundo. E hoje eu tenho setenta e três anos. Estou velho e mais para lá do que para cá. Duas pontes de safena. Já passou da hora de pensar nisso, muito embora eu continue a ter uma vida ativa. Ainda trabalho no jornal. Sou editor executivo, depois de ter sido chefe de redação por quase duas décadas. Já Marta tem sessenta e um anos e continua bonita e atraente, uma característica de certas mulheres, cuja beleza se transfigura em elegância e serenidade com o tempo. Além do mais, ela corre, faz ioga e se exercita todos os dias, enquanto eu continuo a fumar diariamente um ou dois cigarros sem que ela saiba.

Decidimos pela cremação. Não achamos nada que justificasse seguirmos em frente com a tradição do enterro. Mas isso era culpa nossa. Eu era ateu e Marta não tinha nenhuma relação íntima com os rituais católicos. A verdade é que a questão ali era outra. Não admitiríamos nunca, mas Pedro enterrado em um cemitério significaria concretizar uma dor que sabíamos que duraria o resto de nossas vidas. Sua lápide, um monólito ensurdecedor que estaria a apenas alguns quilômetros de nossa casa, nos lembrando que não poderíamos mais sorrir ou nos divertir, que teríamos de levar o resto de nossas vidas no piloto automático.

Só que, quando comunicamos nossa decisão à funerária, fomos pegos de surpresa com a informação de que suicidas não podem ser cremados sem uma autorização judicial específica. Isso porque o suicídio é considerado uma morte de natureza violenta, não natural, passível de futura investigação e até de exumação do cadáver, se necessário. Fiquei transtornado com a possibilidade de veto à nossa vontade. O rosto de Marta se desfigurou e ela usou todos os argumentos que podia. Diante das negativas protocolares do funcionário, Marta esbravejou de raiva, mas não esmoreceu. Exigiu que eu telefonasse imediatamente para os advogados do jornal.

Foi o que fiz. Pedi a eles que fizessem o impossível para que o médico-legista responsável, o delegado que fizera o boletim de ocorrência e o juiz de plantão do bairro onde o Pedro morrera confirmassem as evidências caracterizando o suicídio e autorizassem a cremação o mais rápido possível. Meu amigo Thomaz, editor-chefe do jornal, telefonou momentos depois e disse que tinha assumido a responsabilidade pela autorização judicial, o que me deixou mais tranquilo. Na hora não pensei nem um instante no papel ridículo que eu estava fazendo ao me apropriar de um poder como o da imprensa para um benefício pessoal. Entretanto, naquela situação eu faria qualquer coisa pelo desejo de Marta.

Eram oito da manhã quando conseguimos finalizar toda a burocracia. Esperávamos apenas a autorização judicial, prevista para qualquer momento do dia. Aos poucos, foram chegando à funerária o que nos restou de familiares. Marta e eu tínhamos famílias pequenas. Eu, assim como Pedro, era filho único, e meus pais já haviam morrido. Marta só tinha a mãe, a irmã, o cunhado e três sobrinhos, primos mais novos do Pedro que sabiamente não foram levados até lá. Vi também alguns amigos mais próximos de Pedro, além de Clara, sua namorada. Todos estavam arrasados, se abraçavam, choravam copiosamente e se perguntavam o porquê de aquilo ter acontecido. Àquela altura, todo mundo sabia que Pedro havia se suicidado, mas era espantoso que ninguém conseguisse pronunciar essa palavra dura, obscena e irreversível. S-u-i-c-í-d-i-o. Só o que faziam, assim como todos os outros mais tarde no velório, era lamentar a "tragédia" que acontecera ao Pedro.

Decidimos ser rápidos. Marcamos o velório para o meio-dia, sem hora para acabar, já que, além de termos de esperar a autorização da Justiça, o corpo só poderia ser cremado vinte e quatro horas depois de constatada a morte. Ou seja, só depois das seis horas da tarde, o que significava ao menos seis horas de suplício no velório. O que poderíamos fazer? Era a burocracia da morte.

Marta cuidava de tudo. Não me deixava nem chegar perto da solução dos problemas. Assinava a papelada sem me consultar e, a todo momento, mandava mensagens para Thomaz, que devia fazer o mesmo com os advogados do jornal. Eu via aquilo tudo um pouco à distância, deixando que assim fosse. Eu achava que Marta precisava daquelas responsabilidades para não ter de contemplar a dor incalculável que sentiria assim que aquilo tudo terminasse.

Além de todos esses problemas, ainda tínhamos que nos preocupar com o assédio brutal da imprensa, mesmo em se tratando de um caso de suicídio que os jornais de praxe não costumavam noticiar, a menos que o cadáver fosse conhecido ou filho de alguém conhecido. O problema é que era exatamente esse o caso do nosso filho. O fato de ser filho de um jornalista e de uma editora reconhecidos por suas trajetórias já não fazia tanta diferença. Fazia algum tempo, Pedro se tornara relevante por méritos próprios. Jovem cineasta documentarista, ele havia rodado os festivais do mundo todo com seus poucos filmes, muito elogiados pela crítica. Além do mais, havia ganhado um ano antes, com seu último filme, dois prêmios importantes e de muito prestígio no exterior. Ou seja, aos vinte e oito anos, Pedro já havia atingido uma espécie de primeiro auge profissional.

Começara cedo. Pedro ganhou a sua primeira câmera quando tinha apenas nove anos. Era uma VHS que eu havia comprado um tempo antes, na volta de uma cobertura jornalística nos Estados Unidos, durante a febre tecnológica das filmadoras caseiras dos anos oitenta. Tinha algo de maravilhoso naquele instrumento que possibilitava a você, um simples mortal, registrar momentos de sua própria história e vê-los instantes depois no pequeno monitor do aparelho ou em sua televisão através de outro marco tecnológico: o videocassete. Eu a tinha usado em muitas oportunidades, como em aniversários, festas entre amigos, passeios, viagens de férias, entre outras ocasiões. Depois, como quase sempre acontece com os registros da vida, a esqueci em algum compartimento nos fundos de um dos armários do apartamento.

Anos depois encontrei-a ao acaso, e achei que Pedro pudesse gostar de manejá-la. Naquela época estávamos apenas começando a usar computadores pessoais, os celulares se assemelhavam a grandes telefones sem fio e nem sonhávamos com smartphones. O que quero dizer é que naquela época ainda se fotografava com máquinas fotográficas e se filmava com filmadoras. E, em uma semana, Pedro já havia aprendido a manejar com precisão a VHS e feito vídeos experimentais e entrevistas divertidas conosco.

Entretanto não foi isso o que mais nos chamou a atenção. Na época, tínhamos uma empregada doméstica chamada Ruth. Ela era negra e velha, e havia sido recomendada por uma família que morava no nosso prédio havia muito tempo, mas que estava de mudança para outra cidade na época em que Pedro era recém-nascido. O caso é que Ruth, aos poucos, acabou por nos conquistar e se tornou membro de nossa família. Pedro criara uma relação sincera de afetividade e de amor com ela, tanto que Ruth se tornou uma espécie de avó pra ele.

Então, depois de dois ou três meses das entrevistas experimentais que fizera conosco, descobrimos que Pedro também a havia entrevistado, só que inúmeras vezes, dedicando muito mais tempo a ela. E, depois que assistimos ao vídeo, habilmente dirigido e editado por um menino de nove anos, entendemos o motivo. Pedro havia descoberto histórias maravilhosas e dolorosas que nem imaginávamos sobre aquela mulher de quase oitenta anos, que vivia conosco havia tanto tempo em sua dependência de empregada de nove metros quadrados.

Pedro tinha sensibilidade para questionar, tinha paciência e tato para esperar, e investigava e assimilava todo o contexto em que estava inserido muito rapidamente. Desde aquele primeiro vídeo, percebia-se que tinha um talento nato. Seria meu filho um desses gênios em pele de artista? Ou somente mais um rapaz com uma sensibilidade tão apurada que muitas vezes chegava a irritar? Mesmo naquela época, Pedro era capaz de ficar horas, dias, semanas, meses, quem sabe até anos envolvido com um tema, sem nenhuma pressa, apenas dando chance para que o tempo fizesse suas revelações.

Como quando me pedia para levá-lo ao zoológico periodicamente e permanecia quase todo o tempo filmando apenas um dos animais. O crocodilo. O maior de todos. O que parecia ser o rei ou o líder dos outros, menores, que volta e meia se mexiam e nadavam. O gigantesco réptil, com o corpo completamente escamoteado pela água enlameada, que não fazia nada além de observar o mundo com seus pequenos olhos amarelos sobre a superfície. Um animal misterioso e silencioso, que era só olhos e sombras e que o hipnotizava de um jeito pouco comum.

Pedro tinha verdadeira fascinação e obsessão por aquele animal, que eu jamais pude entender. Talvez quisesse esperar o animal se revelar por completo, o que nunca aconteceu. Ficamos assim algumas semanas até que, em um momento qualquer, ele olhou para mim de súbito e disse que não precisávamos mais voltar. Talvez ali Pedro tenha compreendido que algumas coisas são imutáveis, que simplesmente são como são e que, afinal, aquela era a natureza do crocodilo.

Depois que o Pedro cresceu, eu percebi que esse foi seu método de trabalho desde sempre. Foi assim durante toda sua vida escolar e acadêmica e, inevitavelmente, também em todos os seus trabalhos audiovisuais, como o seu último documentário, quando acompanhou durante três anos a vida de moradores de rua em vários pontos da cidade. Ele não se preocupava com o tempo, com o perigo, com o dinheiro, com a repercussão do trabalho. Ele só queria achar uma verdade naquilo. Não a sua verdade. Mas a verdade dos que estavam falando. E ele geralmente encontrava.

O velório estava lotado e havia muita gente apinhada também do lado de fora. Além dos familiares e das dezenas de amigos e colegas profissionais meus e de Marta, também vieram muitos artistas da geração do Pedro e outras pessoas ainda mais jovens. Eu não sabia que meu filho tinha tantos amigos e admiradores.

Olhei ao redor e vi o Jorge, seu melhor amigo, que estranhamente ainda não havia dado as caras. Ele estava na sombra de uma grande árvore, sozinho, fumando um cigarro do lado de fora. Devia estar sendo difícil para ele. Conhecia Pedro desde criança. Eram unha e carne. Assim que me viu, Jorge pareceu constrangido e apenas meneou a cabeça, baixando os olhos. Ele sempre fora um garoto extremamente tímido e devia estar se martirizando por não ter estado presente nos momentos anteriores. Deixei-o em paz e voltei para dentro.

Além de Clara, reconheci também uma ex-namorada pela qual Pedro foi muito apaixonado e cujo nome eu não me lembrava, e alguns outros amigos que permaneceram desde a adolescência. Não conhecia seus amigos recentes e desconfiava de que a maioria das pessoas restantes era formada por admiradores do seu trabalho e curiosos. Velório de artista é assim.

Alguém improvisou um projetor e logo começaram a exibir os filmes do Pedro continuamente em uma parede branca próxima ao caixão. A qualidade estava péssima devido à claridade e não havia áudio, mas alguns dos filmes continham imagens de bastidores que eu ainda não conhecia. Nada de mais. Pedro sentado, dormindo, pensando, lendo, conversando com alguém.

Ao mesmo tempo, músicas das quais ele supostamente gostava surgiam não sei de onde e eram cantadas por alguns. Logo surgia outra, e mais outra. Em vários momentos as pessoas também aplaudiam. Era nítido que seus amigos queriam fazer um velório em tom de homenagem ao artista que Pedro fora. Como aqueles velórios irlandeses ou mexicanos em que as pessoas bebem e celebram. Depois de um tempo, porém, o encanto inicial se desfez, e eu comecei a achar tudo aquilo irritante e desrespeitoso, e estive prestes a mandá-los calar a boca e dar o fora dali. Pedro não era o artista deles. Pedro era meu filho.

Marta e eu estávamos tão exaustos da noite em claro cuidando de todos os pormenores que, em certo momento, resolvemos enfim nos sentar. Estávamos esgotados, mas não havia como evitar as pessoas. Logo surgia alguém, e depois mais outro, para nos consolar e dar mais pêsames pela "tragédia" que acontecera ao Pedro. Marta seguia firme e forte, mas eu não aguentava mais. A obrigação formal que a morte requer aos que ficam de socializar com todas aquelas pessoas estava me aniquilando.

Ao mesmo tempo, também não suportava mais aqueles garotos com seus smartphones, digitando com dedos ágeis as novidades do evento em que pensavam estar. As redes sociais provavelmente fervilhavam, e todos já deviam saber de tudo o que estava acontecendo ali, no velório do Pedro, numa cobertura minuto a minuto. Cheguei a ver um desses jovens, do lado de fora, fazendo uma selfie, provavelmente anunciando ao seu panteão de amigos das redes que estava ali, apesar da tristeza, fazendo o check-in no velório do meu filho.

Sem forças e impotente, pedi licença a Marta e a outra pessoa que conversava com ela e fui para um canto discreto do salão, bem nos fundos, depois do caixão e das coroas de flores — uma espécie de depósito de tralhas separado do espaço destinado ao velório por uma cortina velha. Era como um ponto cego dos bisbilhoteiros, um lugar reservado onde ninguém pudesse me importunar. Exatamente o que eu queria naquele momento. Então, passei pela cortina, apanhei uma cadeira de plástico que estava empilhada junto a outras e me sentei. Não resisti nem por um minuto. Posicionei a cabeça contra a parede, fechei os olhos e acabei por cochilar.

Sonhei com o Pedro. Era um sonho úmido, palpável. Ele voltava a ter aquela idade tenra dos nove ou dez anos, na qual você sabe que o seu filho te ama incondicionalmente. E vice--versa. A fase em que ele está crescendo, mas ainda não pode identificar suas falhas de caráter, seus preconceitos, seus vícios, em que ainda não consegue decifrar o que pode haver por trás de seus pais.

No sonho, Pedro andava à minha frente por caminhos de concreto em meio a uma floresta que não consegui identificar. Eu o acompanhava, mas caminhava atrás dele com alguma displicência, falando ao celular, provavelmente resolvendo algum problema do jornal. Pedro, aos poucos, me deixava para trás. No começo, eu achava aquilo engraçado, como se ele estivesse brincando de correr ou de se esconder, mas em certo momento do sonho, senti que perdia o controle da situação e que meu filho se distanciava cada vez mais de mim. Ao mesmo tempo, os caminhos do lugar, de ensolarados passaram a sombrios, uma ventania tímida e nuvens escuras se formaram, e as gargalhadas de Pedro começaram a se esvair a partir das curvas que surgiam, uma após a outra, ainda que eu sentisse que ele permanecia próximo a mim. Eu ofegava, desesperado. Parecia que meu coração ia explodir no peito e os músculos das minhas pernas iam se romper, mas mesmo assim eu corria cada vez mais rápido, sentindo que algo de muito ruim estava prestes a acontecer.

Acordei com meu próprio grito de horror depois que Marta cutucou o meu braço com força. Eu não sabia bem o que dizer. Ainda estava com a sensação opressora do sonho ao mesmo tempo que um círculo de pessoas se formou ao meu redor, me observando com olhares de pesar e indignação.

Aquilo poderia ter durado trinta segundos ou uma hora, mas a verdade é que eu não tinha noção do que ocorrera. Indignado com a invasão de privacidade, levantei, empurrei algumas pessoas e saí dali rapidamente, sem falar com ninguém. Já do lado de fora, caminhei até um conjunto de árvores um pouco mais distantes e acendi um cigarro. De longe, vi Marta caminhando na minha direção.

"Você está bem?", ela disse baixinho, já que pequenos grupos de pessoas a poucos metros nos observavam e cochichavam entre si.

"Se ter sido flagrado dormindo no velório do seu próprio filho por um monte de gente que não conheço pode ser considerado normal, então estou bem…", resmunguei e nem liguei que Marta houvesse me flagrado fumando.

"Para com isso, Ruy. Desde quando a gente liga para o que vão falar?", ela disse, e eu quase lhe agradeci por aquilo.

Eu não sabia bem o que responder, mas a verdade é que estava me sentindo muito constrangido. Talvez mais do que isso. Aquele sonho com Pedro me deixara muito fragilizado.

"Eu tenho setenta e três anos, Marta! Estou cansado. Não durmo há mais de trinta horas", foi só o que consegui dizer, aos gritos, o que causou alvoroço nos grupos de pessoas próximas que nos espionavam.

Marta se aproximou de mim, mas de alguma forma freamos os instintos e não conseguimos nos abraçar.

"Eu sei. Termina esse cigarro e volta. Precisamos ficar lá, você sabe...", Marta disse com uma austeridade que eu jamais teria num momento como aquele.

Vendo-a se afastar de mim e entrar novamente no salão onde ocorria o velório do nosso único filho, constatei que Marta era realmente um ser humano superior. Já eu mal conseguia terminar meu cigarro, de tão culpado que me sentia. Estava engasgado. Eu olhava para todas aquelas pessoas e me perguntava se elas tinham a mais rasa ideia do que se passava dentro de mim para me fazerem acusações com seus olhares inquisidores. Aquilo que havia acontecido fora a gota d'água para que um velho turbilhão tomasse conta de mim. Uma mistura explosiva de excitação, loucura e total falta de comprometimento com a realidade.

Em outra situação, qualquer que fosse, eu não teria feito o que fui capaz de fazer. Mas eu estava vivendo o pior dia da minha vida. Então caminhei até o estacionamento, achei o meu carro, abri a porta e entrei.

E foi dessa maneira, trancado ali, sozinho e baixinho, que chorei pela primeira vez desde que recebi o telefonema dizendo que o Pedro havia morrido.

DIA 2

Acordei no meio da madrugada, com a cabeça girando e uma vontade irrefreável de vomitar. Quando me dei conta, estava no sofá da sala do apartamento onde Marta e eu vivíamos, embora não tivesse a menor ideia de como tinha chegado até ali. Corri em direção ao lavabo derrubando tudo o que via pela frente e fiz um pequeno escândalo. Fazia anos que eu não vomitava depois de uma bebedeira. Na verdade, fazia muitos anos que eu não bebia de verdade.

Quando enfim levantei, dei de cara com Marta, que me aguardava sentada com uma caneca de chá. Senti uma vergonha suprema. Um velho de setenta e três anos se arrastando pelo chão da sala como um adolescente bêbado.

Eu estava confuso. Por um curto momento cheguei a pensar que tudo aquilo pudesse ter sido um pesadelo, daqueles bem realistas, e que minha vida voltaria ao normal. Quando olhei com mais atenção para Marta, porém, aquela tênue esperança de um sono maldormido depois de uma bebedeira em uma festa qualquer se esfacelou.

"Você está bem?", ela perguntou.

"Acho que nunca estive pior", respondi, esticando o braço para apanhar a caneca.

Lembrei vagamente do velório, daquela espetacularização da morte, da situação ridícula da qual me tornei protagonista. Ao mesmo tempo, minha cabeça e meu estômago se contraíam de dor a partir dessas imagens que surgiam ainda indefinidas, as quais eu tinha muito medo de concretizar como algo que realmente havia acontecido.

"Você sabe que não pode beber...", disse Marta, sem o peso da acusação.

Mesmo assim eu me inflamei.

"Merda! O que você queria que eu fizesse, Marta? Que eu fosse meditar nas montanhas do Himalaia?", gritei, sem pensar.

Depois de explodir, baixei a cabeça, envergonhado da minha resposta, e fiquei calado, tentando pensar com mais sobriedade.

"Desculpe, eu...", comecei, mas não consegui dizer mais nada.

"Ruy, o que aconteceu? Você simplesmente desapareceu. Eu te liguei várias vezes, o Thomaz foi atrás de você desesperado, todos os nossos amigos ficaram muito preocupados...", Marta começou, mas não deveria ter começado.

A sensação que tive foi como se meu sangue corresse por todo o corpo em direção à cabeça num só impulso, provocando-me um mal-estar súbito seguido de uma síncope.

"Eu quero que todos eles se fodam!", gritei, cuspindo a saliva pegajosa da ressaca que custava a sair da minha boca e, com isso, evitando qualquer possibilidade de conversa civilizada.

Marta nem se deu ao trabalho de responder a minha grosseria. Levantou e caminhou em direção ao nosso quarto. Eu fiquei sozinho, bebi o chá calado e, por um breve momento, pensei em ir até lá, deitar na nossa cama e pedir desculpas mais uma vez. Só que eu não fui.

Decidi deitar novamente no sofá. Eu queria dormir, não lembrar, esquecer de tudo, morrer, mas naquele momento meu cérebro se transformou em uma máquina de pensamentos acelerados com engrenagens barulhentas que muitas vezes entravam nos pequenos intervalos de sonhos e me impediam de relaxar, me acordando a todo instante.

Quando acordei em definitivo — se é que era possível chamar aquele purgatório onírico de sono — ainda era cedo, e fui novamente ao banheiro. Observei-me no espelho, molhei o rosto e depois encharquei o cabelo, colocando-o para trás. Eu estava inchado e vermelho. Isso sempre acontecia quando eu passava da conta. Fazia muitos anos. Eu não sabia exatamente o que havia acontecido. Sofri um lapso de memória, um apagão. Algumas lembranças, no entanto, vinham amiúde na minha cabeça à medida que eu ficava sóbrio. Como flashes espocados em meus olhos.

Tentei ordenar os pensamentos. Depois que entrei no carro, aquele mundo que eu via ao meu redor entrou em parafuso. Tudo aquilo que eu observava — a multidão de jovens confraternizando como se estivessem em um ambiente qualquer, as imagens do Pedro na parede branca, as canções, os amigos, colegas e familiares me encarando com compaixão — me dava a nítida sensação de que o acontecia ali era a última coisa da qual o Pedro gostaria de fazer parte. Estava farto de abraços e olhares de pesar, daquele velório transcendental, de saber que meu filho estava dentro daquela caixa de madeira bordada de bronze, e todo mundo pensando: como será que ficou a cara dele para fazerem o velório com caixão fechado?

As pessoas acham que podem entender, mas não têm a menor ideia do que se passa na cabeça de um pai que perde um filho assim. Um filho que não morre. Um filho que se mata. Elas veem filmes e novelas na tevê que tratam de suicídio e acham que é mais ou menos daquele jeito. Mas não é. A realidade é menos romântica. É uma mistura de sentimentos ruins. Culpa, raiva, decepção, ressentimento, vulnerabilidade, pânico, tudo junto. O amor, nessa hora, não chega nem perto.

A verdade é que eu me acovardei. Pus a chave no contato e não pensei muito a respeito. Acelerei, disposto a encontrar um bar qualquer em um bairro qualquer, desde que fosse algum que eu não costumasse frequentar. Não queria que ninguém me encontrasse. Durante a tarde e a noite toda, bebi uísque, coisa que não fazia havia muitos anos, desde que tive sérios problemas de alcoolismo. Depois não lembro de mais nada. Pode ser que tenha pegado um táxi. Ou que eu tenha dirigido até a minha casa dessa maneira, no piloto automático. Não seria a primeira vez que um bêbado profissional, como eu havia sido um dia, faria isso.

Quando saí do banheiro, percebi que a porta do quarto estava aberta e fui até lá. Marta não estava. Conferi os outros cômodos, e nada. Ainda era cedo. Para onde ela teria ido? Entretanto, era melhor assim. Naquele momento, percebi com uma clareza assustadora: eu não estava preparado para conversar com Marta sobre o fato de eu ter fugido do velório do Pedro. Pior: não haver comparecido ao seu rito de despedida, ter me ausentado do momento de cremação do meu único filho.

Foi naquele exato instante que a realidade me atingiu com toda a força e eu compreendi, sozinho naquele apartamento que ainda parecia ter os ecos do Pedro, que seria condenado e me condenaria por isso para o resto da vida. Abandonar o próprio filho no seu último momento no mundo, e sua mulher na hora mais dolorosa que pode existir para uma mãe, era uma asa sombria que me acompanharia até o fim dos meus dias. Minha atitude era irreversível, como a decisão do Pedro de se matar. Ele e eu nunca mais teríamos aquele momento de volta.

Liguei o meu notebook e decidi pesquisar a repercussão da morte do Pedro, e tudo o que se sucedeu na internet. As manchetes não poderiam ser diferentes:

CINEASTA É ENCONTRADO MORTO PRÓXIMO A EDIFÍCIO ONDE VIVIA ou DOCUMENTARISTA PREMIADO MORRE AOS 28 ANOS.

Ou ainda variações sobre o mesmo tema. Nenhum veículo quis contar a verdade. Não havia nada parecido com:

CINEASTA É ENCONTRADO MORTO APÓS SE JOGAR DE 11º ANDAR DE EDIFÍCIO ou DOCUMENTARISTA PREMIADO SE SUICIDA AOS 28 ANOS.

Na linha fina ou no corpo das matérias, a informação padrão: a causa da morte não foi revelada. Familiares não quiseram comentar o caso. Não há testemunhas sobre o que teria ocorrido. A clássica matéria sobre o suicida na qual em nenhum momento se usa a palavra "suicídio".

Todos aqueles veículos de comunicação faziam um desserviço ao jornalismo. Se decidiram escrever a matéria, que o fizessem corretamente, a partir de fatos concretos e incitando o debate sobre o tema, não o camuflando do leitor. Já o jornal em que eu trabalhava preferiu fazer um obituário. Primeiro me perguntaram se eu gostaria de escrevê-lo, mas eu recusei. Depois pediram o meu aval para publicar o texto do velho Diego García, o mais experiente obituarista do país, e eu o achei muito potente e relevante por levantar a questão do livre-arbítrio de uma maneira bastante sutil e respeitosa.

Questionei-me, então, até que ponto o ato final do Pedro deveria ou não ser exposto ao público. Afinal, o suicídio é uma atitude extremamente pessoal, uma morte voluntária e que, portanto, requer privacidade. Mas havia a dicotomia dos casos. Se por um lado Pedro era um sujeito tímido, sensível e avesso aos holofotes, porque escolhera se suicidar daquela maneira? Ele poderia ter tomado uma overdose de medicamentos ou até de drogas e morrido tranquilamente, deitado no conforto de sua cama, dentro de sua casa, escutando a trilha sonora de Gato Barbieri de que tanto gostava ou assistindo a um bom filme. Combinaria mais com sua personalidade sóbria. Talvez nem mesmo julgássemos sua morte como um suicídio. Seria uma morte com mais classe.

Atirar-se pela janela no início do happy hour das pessoas, para mim, era o mesmo que se jogar nos trilhos do metrô em plena hora do rush. Era um ato violento, grosseiro, vulgar. Que atrapalhava a rotina dos outros. Um verdadeiro chamado à exposição pública. Acho que nunca entenderei o que passou pela cabeça do Pedro naquele instante, mas, de uma forma ou de outra, ele decidiu que seria daquele jeito. Então, analisando friamente, nem ele nem nós poderíamos reclamar dessa exposição.

E se alguém resolvesse tirar aquelas fotos horríveis de cadáveres e despejasse tudo na internet? O que Pedro, o mestre dos documentários, acharia? Teria ficado chateado com a invasão da privacidade de seu corpo morto? Isso porque, depois que colocaram uma máquina fotográfica e uma filmadora dentro de um celular, é o que normalmente acontece. Há imagens de tudo, para todos os gostos. As pessoas são mórbidas e gostam de testemunhar a desgraça alheia. Há em cada esquina sociopatas que gostam de ver fotos de gente despedaçada em guerras e acidentes. Deveria haver fotos de suicidas em algum canto também. Deveria haver fotos do Pedro morto na internet, pensei, e, num desespero que me tomou de imediato, resolvi me aprofundar na pesquisa.

Com um sentimento misto de medo e raiva, e com o coração apertado, procurei minuciosamente por imagens em todos os buscadores e reprodutores de vídeo que conhecia na internet. Depois de muito tempo, em que cada clique aumentava ainda mais a minha agonia, pude constatar, enfim, que não havia fotografias ou vídeos do meu filho morto. Na mesma medida da minha tensão, aquilo me proporcionou um alívio indescritível.

Nessa busca, como contraponto, descobri muitas imagens do Pedro que nunca tinha visto. Ele ainda mais jovem e bonito em lançamentos de filmes e festivais e, em grande quantidade, ele ganhando os prêmios na França e na Alemanha. Pedro parecia realmente feliz nessas imagens. Sorria aquele sorriso idêntico ao de sua mãe desde criança. O sorriso em miniatura que ficou no rosto do homem.

Uma pena eu não ter estado presente nesses momentos. Só o fato de ele estar concorrendo a premiações importantes deveria ter me feito pegar um avião e seguir com ele e com Marta, que morria de orgulho do filho e sempre dava um jeito de acompanhá-lo. Mas eu não fui a nenhum deles. Compromissos profissionais. Vida de jornalista. A desculpa de sempre.

Também li reportagens e blogs e não achei nada de diferente. Só a exaltação recorrente de que meu filho era um candidato a gênio audiovisual de sua época. Um artista transtornado. Um prodígio como havia muito não se via. Uma perda irreparável para o cinema e para as artes. Um clichê atrás do outro. Li tudo. Todas as páginas. Muita matéria replicada. Li até cansar.

Então faltavam as redes sociais. Mas eu não fazia parte delas. Eu ainda achava que tinha direito à privacidade. Por isso nunca quis entrar nesse universo. Eu só tinha um e-mail. No trabalho, mesmo sendo o maior jornal do país, nunca me forçaram a nada. Deixavam isso para os mais jovens. Já eu, um veterano e sisudo editor executivo de jornal, embora acompanhasse a evolução tecnológica no meu trabalho, continuava a tomar decisões vestido em minhas roupas sociais, sentado em uma sala de reuniões. Decisões que já não tinham tanto a ver com notícias e denúncias, mas sim com burocracia e política.

Resolvi então criar os meus próprios perfis. Foi incrivelmente fácil. Em meia hora, eu já era um cidadão do novo mundo. Em uma hora, compreendi o mecanismo e me tornei um bisbilhoteiro da vida alheia. Para começar, entrei na página do Pedro. Sua foto de perfil revelava um Pedro com semblante misterioso. Isso me fez lembrar de nossas fotos familiares, e cheguei à conclusão de que meu filho, desde criança e ainda que tivesse um belo sorriso, nunca fora de sorrir gratuitamente. Fiquei pensando se isso tinha alguma coisa a ver com a tristeza que fizera morada dentro dele sem que ele percebesse.

Nas suas páginas, mais e mais pequenos obituários, lembranças de amigos, incompreensão com o mundo. Uma choradeira. Agradeciam-no pelo que havia feito artisticamente. Pelo que havia feito por eles. Pedro havia se tornado uma espécie de entidade do dia para a noite. Um líder de jovens artistas como ele. Já não tinha defeitos. Já não era arrogante. Já não era um artista pretensioso. Ninguém o culpava por aquilo. Era como se tivesse entrado no seleto clube dos artistas suicidas e, um pouco por isso, tivesse conquistado o respeito de todos. Como se o mundo fosse cruel demais para pessoas tão sensíveis quanto ele.

Vi suas últimas postagens. Pedro era bastante atuante nas redes sociais. Pontual. Crítico. Inteligentíssimo em suas colocações. Li alguns artigos que escreveu. Alguns textos sobre política, arte, sociedade e afins. Algumas fotos em que foi marcado com amigos. Com a namorada. Comentários de pessoas que o parabenizavam por seus filmes, mas também de pessoas incomodadas com o seu sucesso, que o acusavam de gastar dinheiro público com histórias inúteis, de ser comunista, entre outros absurdos da esquizofrenia coletiva que tomara conta do país. Basicamente, li tudo o que acontecera a ele desde a sua morte até o ano anterior.

Resolvi, então, bisbilhotar a vida da Marta. Depois da Clara. Do Jorge. Dos amigos mais próximos. E descobri que na semana anterior Pedro tinha ido à praia. Torrava bonito sob o sol. Alguns dias depois, havia sido jurado de um festival de cinema universitário na cidade. Dois dias antes de se matar, as fotos revelavam que esteve em uma festa desse mesmo festival. Rindo. Bebendo cerveja. Confraternizando com os seus. Provavelmente fumando maconha, porque eu sabia que Pedro era usuário.

Isso me fez lembrar do dia em que Pedro, aos dezessete ou dezoito anos, resolveu me contar. Naquele dia, ele me olhou direto nos olhos e esperou algo de mim. Ninguém conta ao pai que está usando drogas, mesmo que a droga seja apenas maconha, sem esperar algo em troca. O que eu podia fazer? A verdade é que, por tudo o que eu havia passado na vida, não achava nada de mais. Mentir para o meu filho ou reprimi-lo seriam as últimas coisas que eu faria. Então fui sincero e contei que também havia fumado quando era mais jovem, e que não via nenhum problema naquilo, desde que tomasse cuidado, já que ainda era ilegal.

Foi então que Pedro me desafiou. Ele gostava de fazer isso com certa frequência. Só que, naquele momento, ele propôs algo que eu jamais imaginaria nem nos meus delírios mais intensos: fumarmos juntos um baseado. Eu estava prestes a ir para o jornal, vestido de terno e gravata, não sabia nem o que dizer. Estava um pouco encabulado, olhava o relógio de pulso para ganhar tempo e respondi, com algum atraso: de jeito nenhum. Dei risada e saí do apartamento.

Ao chamar o elevador, continuei pensando naquilo e balancei a cabeça de um lado a outro. Que garoto atrevido, disse pra mim mesmo antes de entrar. Apertei o térreo e, como todos os dias, encarei o espelho do elevador por alguns segundos. Prestei mais atenção daquela vez, porém. Eu tinha sessenta e dois anos de idade e, num intervalo curto de tempo, me tornara grisalho e meu rosto envelhecera bem. Embora fosse magro e alto, também estava criando uma barriga protuberante que não diminuía nem com as constantes dietas de Marta. Minha pele afinara e eu tinha manchas de senilidade. A verdade é que eu me tornara um homem de meia-idade que já caminhava para seu último terço de vida. Mas eu não me sentia assim. Eu tinha uma história de vida bastante atribulada e ainda cultivava dentro de mim uma chama muito difícil de se apagar. Pedro, que nunca escondeu sua admiração por mim, talvez enxergasse e compreendesse isso. Por isso, de alguma forma, queria me resgatar. Acho que foi por esse motivo que, ao chegar ao térreo, apertei novamente o botão do meu andar. Afinal, por que não? Quando eu faria isso de novo na vida?

Naquele dia, meu filho e eu rimos de muitas coisas, conversamos bastante e depois assistimos juntos a alguns filmes amadores que ele havia feito e nos quais eu nunca prestara muita atenção. Pensando agora, realmente houve algo ali. Pode ser que Pedro tivesse mesmo essa tal alma de artista. Mas eu não exteriorizei essa ideia naquele momento, e talvez jamais tenha dito isso a ele.

Como também nunca lhe disse que aquela foi provavelmente a melhor e mais inesquecível tarde da minha vida.

Demorei o dia todo e, ainda assim, não consegui me recuperar por completo da ressaca.

No meio da tarde senti um amálgama de fraqueza e tontura provavelmente por causa da fome que, é bem verdade, não sentia. Lembrei que não havia comido quase nada desde a noite da antevéspera, quando recebi a notícia da morte do Pedro. Não tomei café da manhã, nem almocei ou jantei desde então. Acho que, na verdade, não havia comido nada mesmo em dois dias. Minhas mãos tremiam muito ao mexer no computador, e senti um sufocamento me atordoar de repente. Decidi então, apenas por precaução, caminhar um pouco, respirar ar fresco e talvez ir a um dos restaurantes do bairro. Eu ainda vestia as roupas do dia anterior, e só na hora de ir embora me dei conta de que não fazia a menor ideia de onde estavam meu celular e minha carteira desde o momento em que abandonara o velório. Vasculhei os bolsos do paletó amarfanhado que ficara atirado num canto da sala. Só um maço de cigarros pela metade e algum trocado em notas amassadas. Era o pacote completo da embriaguez.

O dono do jornal já tinha me sugerido permanecer de licença o tempo que fosse necessário. Então meus telefonemas seriam reduzidos aos de Marta, dos amigos mais longínquos que não puderam ir ao velório para me dar os pêsames ou, pior, dos amigos preocupados com meu sumiço. E por isso desisti de procurar o aparelho. A verdade é que eu não estava disposto a enfrentar qualquer questionamento relacionado à morte do Pedro.

Também não encontrei as chaves do carro, e pensei que talvez pudesse tê-las esquecido no contato do veículo. Era provável que tudo estivesse lá. Para tirar a dúvida, apanhei o elevador e desci até a garagem, mas nossas vagas estavam vazias. Nem o meu nem o carro de Marta estava ali. A verdade é que, assim como o celular ou a carteira, eu não tinha ideia de onde meu carro pudesse estar. Talvez eu o tivesse esquecido na rua do bar no qual bebi o dia todo e voltado para casa de táxi. Fazia muito sentido. O problema, entretanto, é que eu não me lembrava aonde tinha ido beber. Nenhuma memória sequer me vinha à cabeça, mas possivelmente fora em algum lugar entre o cemitério e o nosso bairro. Devo ter parado no primeiro bar que vi.

Resolvi, então, fazer o que tinha me proposto: dar uma volta no bairro, respirar e esclarecer as ideias. Quem sabe não tivesse vindo de carro até as proximidades da minha casa e desistido de entrar na garagem? Ao passar pela portaria, percebi o semblante triste do porteiro do prédio, que costumava ser muito simpático e todos os dias emendava piadas e comentários sobre futebol. Ao me ver daquela vez, porém, ele desviou o olhar e apenas me cumprimentou com um aceno tímido e um sorriso amarelo, certamente com vergonha de me dizer algo. Afinal, o que se deve dizer a um pai e a uma mãe quando o filho morre? Quando não se é íntimo, nada. Apenas acene e disfarce.

Não foi uma boa ideia, pensei depois de alguns minutos andando sob um sol de quase quarenta graus. Havia muito tempo que não fazia isso de caminhar pelas ruas do bairro. Na verdade, havia muito tempo que eu não fazia muitas coisas. Eu estava cansado e acomodado. Tirava o carro da garagem por qualquer coisa. Ligava o ar-condicionado e logo me encontrava em meu maravilhoso mundo de conforto. Jamais achei que isso aconteceria comigo. Nunca considerei que me tornaria um homem assim, corrompido por regalias, um burocrata do jornalismo, um profissional que pensava mais em planilhas e estatísticas do que em notícias.

Eu não era nem sombra do jornalista que começara a carreira no meio dos anos sessenta. O repórter da editoria de polícia que, ainda muito jovem, se destacou ao fazer grandes coberturas dos crimes da época. Mas principalmente o repórter que, alguns anos mais tarde, denunciou inúmeras vezes a polícia política que prendeu, torturou ou matou qualquer um que era contra o seu regime.

Por esse motivo, um dia também fui preso. Primeiro para prestar esclarecimentos. Daí se passaram um dia, dois, uma semana. Ninguém do jornal conseguia falar comigo. Proibiram-me os direitos básicos de um cidadão, como fazer um telefonema ou acionar um advogado. Fizeram tortura psicológica. Perguntavam-me a mesma coisa mil vezes. Queriam que eu me tornasse um informante, um dedo-duro, um alcaguete de jornalistas.

Em muitas oportunidades, trancado em uma cela úmida e escura que cheirava a mijo e merda, cheguei a escutar aquela maldita música clássica nas alturas, e já sabia que alguém, em algum lugar daqueles porões secretos, estava recebendo choques elétricos nos genitais ou nos mamilos, ou sendo queimado com a brasa de cigarros, ou levando pancada de bastão, ou tendo as unhas e os dentes arrancados com alicates, ou sendo afogado em baldes nos chamados "submarinos".

Nunca senti tanto medo na vida. Eu tinha certeza de que me torturariam e me matariam se não aceitasse a condição que me propunham. Pensei seriamente na possibilidade, articulava situações que minimizassem a minha culpa, mas quando imaginava trocar meu salvo-conduto pela pele de um outro colega jornalista, tinha vontade de vomitar. Eu chorava calado, com muita raiva de mim mesmo. Tentava ser racional. Eu não estava ligado a partidos políticos e, portanto, eles não tinham motivos suficientes para me manter preso. Foi só então, após dezoito dias de agonia, que aliviaram a minha situação e me libertaram, depois de muita pressão do sindicato dos jornalistas. Outros, porém, não tiveram a mesma sorte. Herzog foi assassinado, embora oficialmente o governo afirmasse que havia se suicidado. A foto dele enforcado de forma ridícula ficou famosa. Poderia ter sido eu e nada disso estaria acontecendo. Pedro nem teria nascido. Teria sido melhor? Entretanto não foi o que se passou, e na mesma semana fui enviado para a Europa como correspondente internacional do jornal.

Essa era apenas uma forma de enxergar a realidade. A verdade é que eu fui exilado do meu país. Eu, um jovem de vinte e oito anos, mesma idade do Pedro quando se matou, havia sido impedido de exercer o meu trabalho, de uma hora para outra, por motivos de força maior. E me vi em Londres, onde fiz um pouco de tudo, embora o jornal tenha preferido me deixar bem longe das polêmicas. O que queria dizer que eu ficaria na geladeira do noticiário relevante um bom tempo, até que meu nome fosse esquecido ou a ditadura abrandasse os ânimos. Com o passar do tempo, essa situação foi me causando uma tristeza profunda regada a um alcoolismo crescente.

A questão é que eu gostava dos holofotes, das manchetes, das primeiras páginas. Pode-se dizer que o ego de um jornalista está diretamente relacionado à repercussão que suas matérias obtêm. Antes do exílio, eu era um expoente do jornalismo. Investigava e reportava a história recente do país e construía, dessa maneira, a minha própria identidade. No entanto, em Londres, ainda que eu trabalhasse para o mesmo jornal, era tudo diferente. Eu estava longe da matéria-prima que me fazia um jornalista de verdade, e sentir isso a cada dia e a cada ano que passava acabou comigo. Ali, na metade dos anos setenta, eu bebi de tudo, usei todo tipo de droga e fiz todas as merdas que um homem poderia fazer. Minha vida virou de ponta-cabeça. Foram cinco anos duros até a anistia nos deixar voltar. Nessa época conturbada conheci Marta e, tempos depois, tivemos o Pedro, que nasceu no fim da década de oitenta, junto à esperança de um país que reiniciava sua democracia interrompida. E agora, quase trinta anos depois, num momento em que a sociedade brasileira, de uma maneira bem estranha, voltou a aceitar o flerte com o obscurantismo, eu me vejo exatamente do outro lado, no avesso da vida, em meio ao luto desse mesmo filho. Era como se a escuridão nunca tivesse ido embora em definitivo e estivesse apenas adormecida.

Compreender isso me assombrava. Meu filho morto me assombrava. Devia ter sido uns três ou quatro dias antes. Pedro me telefonara perguntando se eu gostaria de almoçar com ele, já que fazia algum tempo que não nos víamos. Mas, hoje penso, seria apenas isso? Eu concordei de pronto, mas desmarquei na última hora alegando algum problema que acontecera no jornal e que eu teria de resolver, muito embora eu soubesse que qualquer pessoa provavelmente pudesse fazer o mesmo. Eu só queria me manter na ativa, me sentir útil.

E por esse motivo, por uma urgência latente de ainda pertencer ao mundo, perdi o último encontro com um filho que se mataria dali a alguns dias.

Não consegui caminhar nem dez minutos e passei mal. O calor estava intenso e tive uma queda violenta de pressão. Não lembro de nada. Alguém chamou uma ambulância para atender o velho de setenta e três anos que não tinha celular nem documentos e que havia desmaiado em plena avenida movimentada.

Quando acordei no hospital, vi o rosto de Marta outra vez. Ela havia chorado. Pude notar seus olhos murchos e úmidos. Seria por mim? Ou continuaria sendo pelo Pedro até o fim dos seus dias? De qualquer forma, Marta estava se especializando em me salvar.

"Como você me achou?", perguntei assim que abri os olhos.

"Foi o João, o porteiro, que me avisou. Ficou preocupado com você saindo a pé e resolveu te seguir de longe."

Dei um sorriso involuntário. Ainda existem pessoas assim no mundo.

"Como você está, Ruy?", Marta me perguntou.

"Uma merda. Me sinto um velho caindo aos pedaços...", eu disse.

"Você é um velho caindo aos pedaços! Sua glicose estava baixíssima. Você estava com quadro de inanição", Marta falou.

É interessante como uma grande dor pode interromper ou anestesiar o que ainda lhe resta de sensações.

"Podemos jantar juntos, se quiser...", convidei de um jeito esquisito, uma tentativa de restabelecer uma conexão com ela.

Achei que Marta sorriu de leve, mas foi uma impressão, ela só franziu a boca. Seus olhos castanhos estavam aguados, rajados por pequenas veias vermelhas, e não exprimiam nada além de angústia. Ela também tinha envelhecido. Pode uma pessoa envelhecer tanto em dois dias?

"Eu não consigo agora, Ruy. Me desculpe..."

Ficamos em silêncio durante um longo tempo. Eu queria ter lhe perguntado sobre a cremação, como havia sido a cerimônia, onde estavam as cinzas do Pedro, o que faríamos com elas, mas me acovardei. Era como se a morte do Pedro tivesse reaberto uma fenda adormecida entre nós dois. Ainda não dava para saber; por sermos velhos talvez continuássemos juntos, mas jamais conseguiríamos ser próximos como antes.

Era uma sensação parecida com a nossa primeira perda, com a diferença de que daquela vez nosso filho havia morrido antes de termos a oportunidade de conhecê-lo. O bebê tinha vinte e oito anos de desvantagem em relação ao Pedro e já foi daquele jeito. Então pensei que agora a dor de Marta seria potencializada por todos esses anos em que assistimos ao Pedro nascer, viver e morrer. Pior do que morrer, se matar.

Acho que adormeci pensando nessas coisas porque, quando abri os olhos, Marta não estava mais lá e já era noite, pude ver pela janela. Eu ficara no soro todo aquele tempo e depois ainda me forçaram a me alimentar. Comi muito pouco, mas já havia me recuperado. Por força do regulamento do hospital, minha alta seria dada apenas na manhã do dia seguinte, mas o médico me informou que eu estava bem e, em comum acordo, Marta decidira assinar um termo de responsabilidade para me levar para casa. Ela sabia que eu tinha pavor de hospitais. Depois de me vestir, me disseram para esperar em uma sala, pois Marta havia saído, mas voltaria para me buscar. Naquele momento eu não estava muito disposto a ver a cara da Marta com pena de mim. Então saí do hospital furtivamente, peguei um táxi e pedi ao motorista que me levasse ao centro da cidade, à rua onde o Pedro morava.

O dinheiro que eu tinha só deu até as proximidades do lugar. Desci. A iluminação amarelada vinha de postes antigos, cuja intenção era a de preservar o centro histórico, o que mantinha a personalidade da região. Alguns minutos depois, cheguei. Olhei para o topo. Para o alto do prédio dele. Depois contei de baixo para cima os onze andares até a janela do apartamento. A sala de onde ele pulou tinha um janelão de parede a parede. Não possuía sacada nem rede de proteção. E era realmente bem alto. Como ele teve coragem? Ou coragem não era bem a palavra?

Só então me dei conta de que nem Marta nem eu havíamos pensado ainda em ir ao apartamento do Pedro apanhar as coisas dele. Marta havia comprado roupas novas para vestir seu corpo no velório. Olhei para a fachada do prédio e fui conversar com o porteiro que estava atrás de uma mesa, no interior do prédio. Subi uma pequena e larga escadaria e toquei o interfone.

"Boa noite, senhor."

"Boa noite. Eu sou o pai do Pedro."

"Pedro de que apartamento, senhor?"

"Do 111"

"Ah, o rapaz que…"

"Ele mesmo."

"Me desculpe… Por favor, entre."

E lá de dentro destravou a porta para que eu entrasse. Caminhei até onde ele estava, mas ele já havia se adiantado e vindo até mim.

56

"O senhor me desculpe o mal-entendido. É que existem outros dois 'Pedros' aqui no prédio. Posso ajudar o senhor?"

"Bem, eu preciso pegar as coisas do meu filho, pagar o aluguel, falar com o proprietário, mas não tenho a chave do apartamento…"

"Hum, teve uma senhora que veio aqui também. Era a esposa do senhor, mãe do Pedro. Ela vinha mais vezes aqui, por isso reconheci…"

"Ela subiu?"

"Não, senhor, ela não quis nem entrar no prédio. Ficou ali, do lado de fora, olhando para cima como o senhor ficou. Fui falar com ela, mas ela foi embora…"

"Quando foi isso?"

"Hoje."

"Ela pegou a chave?"

"Não, senhor. A chave está com a imobiliária. Eu ia passar o contato, mas ela foi embora antes."

"Sabe me dizer se alguém, além de mim e da minha esposa, já subiu até o apartamento?"

"Só a polícia e a perícia."

"No dia?"

"No dia. Tiveram de arrombar. A porta estava fechada com trinco."

"Ainda está assim? A porta ficou aberta?"

"Não. O proprietário mandou arrumar. Não está cem por cento, mas está fechada."

"Eles disseram alguma coisa?"

"Tipo o quê?"

"Não sei. Pensei que talvez pudessem ter encontrado algum bilhete, mas acho que eles não comentariam isso com você…"

"Acho que não."

Olhei para ele e demorei um pouco a elaborar a próxima

pergunta. Queria aproveitar aquele momento para tirar todas as minhas dúvidas sobre a morte do Pedro, mas não tive nenhum tato.

"Você viu?"

"Vi o quê?"

"O corpo. Pode falar, rapaz. Sou jornalista. Estou acostumado com essas coisas."

Ele demorou um pouco a responder.

"O senhor quer dizer... ele caindo ou o corpo dele?"

Não tinha pensado no fato de alguém ter visto o momento da queda. Tudo deve ser muito rápido. Dois, três, quatro segundos até se espatifar no asfalto?

"Não sei. Você o viu caindo?"

Fiquei encarando-o, compenetrado e impaciente, esperando uma resposta.

"Bom, só escutei o barulho. Muito triste. Era um rapaz muito bom, simpático com todo mundo..."

"Hum, todo mundo que morre vira bom e simpático", bufei e resmunguei meio para mim mesmo, mas ele escutou.

O porteiro me olhou atravessado. Não entendeu meu comentário mal-humorado e sem sentido.

"Então você viu o corpo?", perguntei afirmando, e ele se encabulou um pouco. "Vamos, rapaz, já disse, eu sou o pai dele. Mais de cinquenta anos de jornalismo. Já vi muita coisa."

"Bom, todo mundo foi ver o que era, né? E eu trabalho aqui. Era minha obrigação, além de ter caído aqui na frente do prédio..."

"E..."

"E o quê?"

"Ele deu algum sinal?"

"Como assim, senhor?"

"Ele se mexeu? Alguma parte do corpo? Os braços, as pernas, o olho, que seja?"

58

Eu tinha essa curiosidade mórbida e precisava tirar isso a limpo com uma testemunha ocular. O porteiro ficou me olhando com perplexidade e alguma raiva. Deve ter se arrependido de ter me recebido. Estava prestes a perder a paciência. E eu estava no limite em que começava a ser irônico e agressivo.

"Desculpe, senhor, mas isso adianta alguma coisa?"

"Adianta. Eu quero saber se ele morreu rápido ou se sofreu."

"E eu lá tenho cara de médico? Por que o senhor não pergunta isso pros bombeiros que fizeram o socorro?", disse um pouco alterado.

Tive de engolir a resposta atravessada. Bem feito.

Lembrei dos legistas no IML dizendo: "Ele não sofreu". E pensei que os paramédicos deviam socorrer suicidas todos os dias e achar que esses filhos da puta só atrapalham o trabalho deles, que era socorrer quem realmente necessitava. Não adiantaria nada ir atrás deles e tirar essa dúvida. Eles diriam o mesmo.

"O senhor está bem?"

"Estou. Deixa pra lá. Me desculpe."

"Olha, senhor, se quiser subir, eu passo o contato da imobiliária. Eles pediram para avisar se viesse alguém da família. Toma. Esse é o cartão deles. Deixaram um número de celular também."

Eu apanhei o cartão e fiquei olhando fixamente para ele.

"Senhor?", o porteiro disse com alguma preocupação.

"Ah, é que eu perdi meu celular. Poderia me emprestar seu telefone?"

"Sim, claro. Pode usar o da portaria", e me entregou o aparelho.

A conversa foi breve. Marquei com um representante da imobiliária às oito horas do dia seguinte, ali no prédio. Fiquei olhando para ele novamente.

"Senhor?"

"É que também perdi a minha carteira. Me desculpe, mas

você poderia me emprestar algum dinheiro? É que não tenho como voltar para a minha casa, e eu e a minha mulher, bom, a gente não está no melhor dos momentos..."

O porteiro prontamente tirou a carteira do bolso e me entregou uma nota de vinte.

"Não precisa explicar. Isso é tudo o que eu tenho. Será que dá?"

Salvo duas vezes no mesmo dia pela bondade de dois porteiros.

"Dá sim. Obrigado. Amanhã eu lhe pago..."

"Não precisa, senhor...", e titubeou para falar o que queria ter dito antes da minha sessão de agressividade. "Meus pêsames pelo seu filho, viu?"

Balancei a cabeça em agradecimento e saí do prédio em busca de um táxi.

DIA 3

Aquela conversa estranha que tive com o porteiro do prédio do Pedro reacendeu em mim algo que estava adormecido havia muito tempo: um senso natural de investigação. Eu era um repórter acima de tudo e, como tal, deveria me valer disso para apurar a morte do meu filho. Eu não poderia simplesmente aceitar e corroborar a ideia de uma morte artística, poética, metafísica ou qualquer coisa do gênero, que alguns propagavam na internet.

Nas entrelinhas, muitos acreditavam que a morte do Pedro pudesse ser decorrente de uma depressão — mais uma no rol das palavras impronunciáveis relacionadas ao suicídio. Para a maioria esmagadora das pessoas, ter depressão era um segredo inviolável, um atestado de fraqueza e de piedade. Por isso usavam frases bonitas e impactantes para se referir à doença, como "desesperança com o mundo" ou "melancolia artística", o que me deixava ainda mais irritado.

Eu particularmente não sabia nada sobre isso. Entretanto, se houvesse algo, algum diagnóstico, era provável que eu não fosse a primeira pessoa que Pedro procuraria para conversar sobre o tema. Mas Marta o via sempre. Ao menos duas vezes por semana eles almoçavam juntos. Iam ao cinema, ao teatro, jantavam. Marta era mãe, melhor amiga e unha e carne com o Pedro. Então o que quero dizer é que, se o Pedro tinha essa doença ou qualquer outra, se fazia terapia, se tomava remédios controlados, se achava o mundo um lugar horrível para se viver, se estava desiludido com os rumos do país ou de sua geração, se tinha problemas com a namorada, com algum amigo, se tinha brochado, se era gay ou qualquer outra coisa, a pessoa mais provável e lógica que saberia de tudo isso era Marta.

Tentei ampliar o pensamento sobre essas quase três décadas que meu filho viveu. Nascidos depois das guerras, das depressões econômicas e das ditaduras militares, os filhos da minha geração tiveram uma existência um pouco menos conflituosa e mais serena que a de gerações anteriores. Manter e aprimorar tudo aquilo que havia sido conquistado talvez fosse o maior desafio. Uma missão mais paliativa; difícil, mas menos radical. Poderia ser isso. A ausência de um inimigo. De uma luta corpo a corpo durante os anos de formação. De uma boa briga. De um objetivo claro com uma linha de chegada.

Mas tudo isso eram apenas suposições de um pai atormentado que passou a dormir no sofá de sua casa desde que seu filho fora embora sem se despedir pouco mais de dois dias atrás. Ali eu decidi que, como jornalista, tentaria descobrir a causa da morte do Pedro. Mal consegui pregar o olho pensando em tudo o que estava acontecendo. Estava ansioso por encontrar detalhes, minúcias e evidências despercebidas que os peritos deixaram passar em seu apartamento. Eu tinha certeza de que encontraria respostas ali. No momento em que consegui dormir, sonhei outra vez com ele. O mesmo sonho que tive no velório. Pedro criança, rindo, correndo e se afastando gradualmente de mim, sem que eu tivesse forças para alcançá-lo. Isso me deixou acordado o resto da noite.

Eram cinco horas e eu já estava de pé, tomando café e checando outra vez as redes sociais do Pedro, da sua namorada e de seus amigos próximos. Palavras de alento, textos ruins feitos para impressionar e muita choradeira. Pensei que em algum momento teria de falar com eles. Fazer uma reconstituição dos últimos dias do Pedro. Tentar decifrar as conversas e as entrelinhas. Não seria fácil. Meu trabalho nunca foi fácil, mas esse seria o mais complicado. Fui até o nosso quarto, abri a porta devagar e lá estava Marta, deitada de lado para a parede e de costas para mim, exatamente como quando eu chegara na noite anterior. Devia estar chateada por eu ter fugido do hospital sem esperá-la, cansada dos meus arroubos de loucura e agressividade. Eu sabia que ela estava acordada porque Marta nunca dormia de lado. Ela só não queria ter de me encarar, falar ou ouvir. Ou talvez só não quisesse ainda compreender que tudo aquilo que tínhamos vivido poderia ter sido mesmo um grande erro.

Apanhei sorrateiramente um dinheiro na bolsa de Marta, saí de casa em seguida, tomei um táxi e voltei à rua onde Pedro vivia. Eram seis da manhã e ainda estava escuro. O motorista me perguntou se eu tinha certeza que queria descer ali, um pouco antes do prédio residencial e ao lado de marquises tomadas de moradores de ruas e viciados. Eu só queria dar uma volta no quarteirão, sentir os arredores do lugar em que meu filho vivia. Eu também gostava do centro e de suas idiossincrasias. Havia morado muito tempo na região quando jovem, ao iniciar minha carreira. O lugar não era tão perigoso, mas as pessoas hoje em dia, cada vez mais trancafiadas em suas redomas de segurança e paz em condomínios e bairros afastados, têm medo de tudo e de qualquer coisa que viva e se mexa nas ruas da cidade.

Lembrei do documentário premiado do Pedro chamado

Todos os homens do mundo, no qual ele entrevistara dezenas de moradores de rua e acompanhara a vida de alguns deles por vários bairros da cidade. Era mais do que um documentário. Era uma investigação antropológica e social da precariedade do Estado e da exclusão da sociedade de homens comuns, como ele ou eu. Segundo o filme do Pedro, absolutamente qualquer um poderia estar naquela situação, vivendo na rua. Tudo dependia de uma única circunstância que surgisse. Um abandono, um desamor, uma desavença, uma indiferença, uma doença, um momento de loucura. Era essa a sua ideia. Meu filho, mais que tudo, era um humanista.

"Psiu!"

Olhei para trás e vi um velho de barba amarelada, usando roupas puídas e um boné vermelho que se destacava do resto, sentado sobre um papelão. Algo ali me soou familiar, mas não identifiquei na hora o que era. Observando com mais atenção, também notei que provavelmente eu era bem mais velho do que ele, embora estivesse mais bem tratado pela vida que levava.

"Você é o pai do Pedro, né?"

Não respondi de imediato. Apenas fiquei em silêncio, me resguardando.

"Fica tranquilo. Não sou ladrão. Ele me deu este boné", disse, respondendo à minha suspeita. "Eu moro aqui na rua. Já vi o senhor algumas vezes. Além do mais, o Pedro era a sua cara."

Fazia muito tempo que eu não ouvia aquilo. Fui ser pai com quase quarenta e cinco anos, quando suas feições mais joviais começam a perder o viço e se modificam com muito mais velocidade. Essa máxima do Pedro ser a minha cara durou pouco, até eu começar a envelhecer de verdade, adotar a barba grisalha e ele se tornar um jovem de belos traços. Talvez se ele tivesse chegado aos quarenta anos, pudéssemos ter novamente esse reencontro de similaridades numa idade mais adulta.

"Você conhecia o Pedro?"

"Ele conhecia todo mundo aqui da rua."

Me aproximei do morador e agachei. Tive a impressão de que ele estava no filme do Pedro. Ia perguntar quando ele me interrompeu:

"Ele conversou e filmou a gente várias vezes. Até dormiu com a gente uns dias."

"Dormiu?"

"É, ele trazia um travesseiro da casa dele, porque falava que sem travesseiro era foda pra ele pegar no sono. E deitava aí com a gente, trocando ideia. A gente dava um papelão duplo pra ele, porque ele não estava acostumado."

Pedro dormira na rua várias vezes e eu nunca soube disso. Ele não usou isso no filme. Não se vangloriou disso. Conversou com aqueles moradores de rua como se conversa com irmãos no quarto escuro antes de pegar no sono. Pedro, o filho único.

"Qual é o seu nome?"

"João Vicente."

"O que ele perguntava pra vocês?"

"Nada de mais. Como estava a vida. Sobre o frio da rua. As costas. Futebol. Trazia comida quando dava. Deu uns almofadões para vários de nós."

"Não perguntava como vocês foram parar na rua?"

"Ah, sim. Mas primeiro perguntava todo o resto. Sabia até que tipo de comida e bebida a gente gostava."

Eu não podia acreditar naquilo. Minha garganta fechou. Deu um nó. Onde estive todo esse tempo que não conversamos sobre coisas como aquelas? Fiquei tremendo um pouco depois de processar aquilo tudo. Pedro investigava em campo o sofrimento e a dor dos personagens reais que queria filmar. Sem estrelismos. Enquanto o morador de rua continuava a falar, eu só pensava em uma coisa: que merda de pai eu fui.

"O senhor está bem? Quer uma água?"

E rapidamente João Vicente apareceu com uma garrafinha de água pela metade e eu pensei que, talvez, eu não bebesse daquela água oferecida por um morador de rua se estivesse no meu estado normal. Mas eu não estava. Eu tremia. A sensação de afogamento surgiu novamente. Era como se, à medida que descobria naquela conversa coisas boas sobre o Pedro que eu não sabia, surgia na minha cabeça o que havia de pior em mim ao mesmo tempo. Eu havia me transformado em um burocrata da grande imprensa. Jantava nos melhores restaurantes. Gostava de bourbon e de vinhos caros. Com alguma frequência, passava férias em Nova York, Londres, Roma, Paris. Como pude me transformar nisso?

Meus olhos se encheram de lágrimas, mas eu não me dei o direito de chorar. Conversei com João Vicente e mais dois moradores de rua até as oito da manhã. Antes, fui à padaria da esquina e, com a ajuda dele, levamos pão, queijo e uns copos plásticos de café para os outros dois. Sentado no chão sujo e frio sob uma marquise cujo comércio começava a abrir, tomei café da manhã com eles e ouvi algumas boas histórias sobre o meu filho. Ele também falava de mim. Principalmente que fui um jornalista importante que combateu a ditadura. E que a mãe dele era uma editora fantástica, mas seria uma escritora ainda melhor, só que ainda não estava preparada para revelar isso ao mundo. Abri um sorriso ao ouvir aquelas revelações e me senti muito melhor por saber daquilo. Agradeci sinceramente a eles pela conversa.

Quando deu o horário, me despedi dos amigos do Pedro com um abraço e caminhei até o representante da imobiliária, que estava em frente ao prédio e me olhou de um jeito estranho. Ele havia visto a cena junto a um outro porteiro. Eu estava com a calça bege e a camisa branca sujas de ficar na rua. Completamente amassadas. Talvez cheirando mal. Percebi que vestia as mesmas roupas desde o dia do velório do Pedro. Além do mais, eu tinha dado o meu paletó para o João Vicente, porque na rua sempre fazia mais frio durante as noites e com certeza ele precisava mais dele do que eu. Entretanto, essas miudezas se perdiam no aspecto geral do problema que eu tinha nas mãos.

"O senhor é o pai do inquilino Pedro, do apartamento 111?"

"Sou. Vim retirar as coisas dele e pagar o que ele lhe devia."

O homem de terno, careca como uma lâmpada, olhou uns papéis.

"Nós verificamos e entendemos que não nos deve nada, senhor. Todas as contas estão em dia. Não cobraremos pela porta que foi arrombada e, como o aluguel está pago até o fim do mês, o senhor pode ficar com a chave e fazer a retirada dos móveis e dos objetos pessoais nesse tempo. Sem pressa. Sabemos o quanto essa situação é difícil."

E o careca simplesmente me entregou as chaves, abriu a porta do prédio, me apresentou ao porteiro e pediu que ele me ajudasse em qualquer coisa de que eu precisasse. Anotou meu número de celular para qualquer eventualidade, mas respondi que havia perdido o aparelho e que, se houvesse qualquer problema, eu entraria em contato. Ele, então, se foi.

E eu fiquei parado no hall do edifício. Depois chamei o elevador. E me olhei no grande espelho ao lado. Eu estava pálido, mais magro e, portanto, mais velho. Tinha olheiras profundas e cabelos desgrenhados. E estava mesmo sujo. Agora entendo o olhar de constrangimento e repulsa do homem da imobiliária.

Cheguei ao andar do Pedro. Eu já tinha estado ali algumas poucas vezes, embora sempre nos encontrássemos na minha casa ou em algum restaurante. Era um edifício antigo, de corredores largos e compridos. Muitos apartamentos. Caminhei até o dele e enfiei a chave na fechadura. Entendi naquela hora a questão da Marta. Senti um arrepio tomar conta do meu corpo e um frio na espinha pela possibilidade de encontrar qualquer coisa que relacionasse sua morte a nós.

Girei rápido e entrei. A porta dava direto na sala. O resto do apartamento era uma pequena cozinha, um pequeno banheiro e um pequeno quarto. A primeira coisa que notei foi que as persianas estavam posicionadas de forma a deixarem o vão central da janela em evidência. As vidraças também estavam abertas, acompanhando as persianas. Pensei na hora se a perícia ou a polícia tinham o direito de mexer na cena de um crime ou se a janela e as persianas estavam exatamente do mesmo jeito quando Pedro decidiu pular. Mas aquela era mesmo a cena de um crime? Suicídio é crime? Um autoassassinato? Um homicídio de si mesmo?

O livre-arbítrio elevado à máxima potência de morrer por vontade própria podia até ter uma definição jurídica ou filosófica, mas ninguém sabia exatamente como tratar um caso de suicídio. Sempre foi algo relegado às sombras. Não ensinado. Fora da rotina, dos livros, das escolas. O suicídio era mais uma das coisas assustadoras da vida. Uma condição que ninguém gostava de acompanhar e que sempre fora desconfortável para todos os agentes envolvidos. Desde o faxineiro do prédio, obrigado a lavar o sangue já pegajoso na calçada da rua, até os familiares que, constrangidos, calam-se ou apenas fingem para si mesmo que seu ente querido foi vítima de uma "tragédia".

Entretanto, considerando que o suicídio não fosse um crime, os agentes da lei poderiam mexer ou coletar o que bem entendessem no local? Mas o que caracterizava o que havia acontecido ao Pedro como suicídio? A clássica porta trancada com trinco era o suficiente? Segundo a polícia, essa era a única prova cabal para nomear a natureza do óbito, já que eles nos disseram que não havia um bilhete de suicídio. A porta trancada por dentro seria uma espécie de confissão inconsciente? O suicídio em si seria uma espécie de confissão inconsciente? Algo que não conseguiu ser dito em vida? Por esse motivo fui até lá e mais uma vez me deu aquele frio na barriga que eu sentia quando era repórter e tinha convicção de que algo ainda estava por ser descoberto.

Andei um pouco e encostei as mãos na armação de ferro pintada de bege da janela. Balancei-a com força e ela não me pareceu muito segura. A parte de baixo da vidraça era ainda pior. Um acrílico transparente e sujo, cujo rejunte com o chão de tacos parecia estar podre. Encostei o pé e constatei que aquela parte da janela cederia com certa facilidade. Se eu desse um chute bem dado naquele lugar, poderia abrir um vão para a morte. Pedro e seus amigos deram muita sorte. Poderia ter acontecido um acidente fatal ali. Qualquer um, um pouco bêbado ou chapado demais, poderia tropeçar, derrubar aquele acrílico craquelado de sol e cair acidentalmente por seus longos e rápidos trinta e poucos metros de altura.

A janela estava bem aberta. Constatei também que não havia nenhuma cadeira ou sofá próximos para ele subir e facilitar a sua vida. Mas o Pedro era alto e magro como eu. Pernas compridas como as minhas. E o parapeito da janela devia ter pouco mais de um metro. Portanto era só pegar um pequeno impulso, sentar, dobrar um pouco as pernas e girar o corpo. A decisão irreversível.

Pensei também em todas as possibilidades de ter sido um acidente fatal, mas não cheguei a nenhuma conclusão razoável. Era possível, como tudo, mas muito improvável. Por isso precisava apurar as coisas direito.

Tentei então fazer o primeiro dos três passos que o Pedro possivelmente havia feito naquele dia: sentar no parapeito. Entretanto, nem cheguei perto. Antes mesmo de tentar impulsionar o corpo, minhas mãos tremiam e automaticamente perdi toda a força nos braços. Eu era um covarde e jamais conseguiria sequer dar aquele primeiro passo.

Senti uma náusea muito forte, meu coração começou a acelerar, um sufocamento na garganta, achei que pudesse ter um ataque cardíaco ou um derrame a qualquer momento. Camba-leando, consegui caminhar até a porta do apartamento do Pedro e sair dali o mais rápido possível.

O dono do bar-restaurante ligou para o Thomaz, que já havia pedido em todos os bares e restaurantes que frequentávamos para lhe telefonar caso eu aparecesse. Eu estava sem celular fazia apenas três dias e já sentia a pressão do mundo. Deveria ter imaginado que poderia ser encontrado por alguém, o jornalista classe média alta e bairrista não conseguiria fugir de sua obviedade por muito tempo.

Logo depois de sair do apartamento do Pedro, andei a esmo sabe-se lá por quanto tempo. Eu estava acelerado, sufocado, prestes a ter um colapso. Depois de me recuperar, apanhei um táxi com o que sobrara do dinheiro que roubei de Marta e pedi ao motorista que ao menos me deixasse no meu bairro. Chegando lá, entrei no primeiro lugar familiar que vi.

"Ruy, o que você está fazendo?"

A voz de Thomaz parecia ter sido mastigada. Estava distante, numa outra dimensão.

"Estou bebendo."

"Mas são onze da manhã!"

"Foda-se."

"Você parou de beber, lembra?"

"Para com essa merda de discurso, Thomaz."

Thomaz puxou uma cadeira e sentou ao meu lado. Pediu ao garçom uma dose do mesmo uísque que eu estava tomando e colocou a mão em meu ombro. Olhei com surpresa para ele.

"Vai beber?", perguntei.

"Vou te acompanhar. Você é meu amigo. Não vou deixar você aqui bebendo sozinho…"

Thomaz também tinha problemas com o alcoolismo, mas não deixava transparecer. Para todo mundo, ele era um homem de sucesso, com muita personalidade e encantador. Todos o adoravam. Entretanto, eu sabia que Thomaz era apenas um homem solitário que tinha muitos problemas não resolvidos. Olhei para ele e quis agradecer ao meu amigo por ficar ali comigo, mas não consegui.

"Ainda bem que você veio. Perdi minha carteira. Não tenho nem um centavo", eu disse, e ele sorriu. Continuei: "Acho que preciso voltar ao trabalho, Thomaz. Estou enlouquecendo…"

Ele me analisou com o olhar. Sabia que eu tinha alguma razão.

"Por enquanto não precisa, não, Ruy. Você está de licença. Não tem nada a fazer que não seja descansar. Além disso, você precisa de um banho e de roupas limpas. Está parecendo um mendigo", ele disse à sua maneira, gentil e incisivo.

Lembrei que passara a manhã conversando e tomando café da manhã com mendigos e sorri. Se eu tivesse acabado bêbado na rua, dormindo em papelões dobrados como o Pedro, acho que, em uma semana ou duas, Thomaz ou qualquer outro da diretoria do jornal passaria por mim e não me reconheceria. Talvez sentissem nojo ou medo de mim quando eu me aproximasse para pedir um trocado. Eu seria como um dos personagens do filme do meu filho.

"Thomaz, qual é a definição de um pai que perde o filho?"

"Como é que é?"

"A definição. O vocábulo. O léxico…"

Thomaz deu de ombros.

"O órfão perdeu o pai ou a mãe ou ambos. O viúvo perdeu a esposa ou vice-versa. Tem também o 'ex'. Ex-marido, ex-namorada…"

"Hum, não sei. Órfão de filhos?"

Cortei Thomaz com uma fala áspera e alta, já contaminada pela bebida.

"Não existe! É uma espécie de tabu social e linguístico. Não existe uma definição porque, em tese, não é natural um filho morrer antes dos pais, entende? Então ninguém criou uma palavra, uma terminologia…"

"Talvez ninguém pense nisso até um filho morrer…", disse Thomaz, corroborando com a minha ideia somente para não me deixar sozinho.

Meu amigo devia estar achando aquela conversa um pouco sem propósito, mas eu não conseguia parar.

"Tem mais. E o pai de um filho único?"

"Não seria a mesma coisa?"

"Não!", vociferei, de um jeito dramático e ridículo. "O Pedro era meu único filho, Thomaz. Você entende? Eu só consegui entender isso agora. Eu, neste momento, não sou mais pai de ninguém. A morte do Pedro significa também a minha morte como pai…"

"Ruy, mas de que adianta você pensar assim?", disse meu amigo, com tato, tentando me livrar daquela agonia.

"Thomaz, pensa bem. Não tem mais conselho, abraço, briga, crise. Não tem mais Natal ou Ano-Novo em família. Bolo de aniversário. Essas coisas a que a gente nem dá muita importância. Entende? Não vão existir mais netos, nem continuidade familiar. O Pedro também acabou com a minha paternidade quando resolveu pular da janela..."

Thomaz me olhava sério, desconfiado de que eu pudesse fazer uma besteira em algum momento. A sua função ali era me equilibrar, tirar da minha mente ideias confusas como aquelas. Eu estava bêbado e, apesar da irracionalidade e da fúria em cada frase que proferia, nunca me senti tão lúcido. O coitado do Thomaz fazia de tudo para me impedir de ir fundo naquilo. Fazia considerações falhas, até mesmo ridículas para um homem do seu gabarito intelectual. Mas eu entendo. Deve ser difícil argumentar com uma pessoa naquela situação de penúria e ódio que envolvia cada palavra que saía da minha boca.

"Você está filosofando demais, Ruy. Não existe essa coisa de ex-pai. Pai é pai. Sempre será. Se a gente levar em consideração que deus...", Thomaz dizia, mas eu o interrompi prontamente.

"Eu não acredito em deus, Thomaz. Nem você. Somos comunistas e ateus, esqueceu? Está falando essa merda para me consolar?", interrompi, gritando.

Thomaz olhava para os lados, constrangido. Pediu que eu baixasse o tom. Sentindo-se pressionado, emborcou de uma vez o que restava de seu uísque e viu que o meu já tinha acabado. Percebeu a minha agitação e pediu mais duas doses ao garçom. Ficamos um tempo em silêncio. Continuei:

"Você conhecia bem o Pedro, Thomaz. Desde que nasceu. Por que você acha que ele se matou?"

Era uma pergunta traiçoeira, ambígua, dessas que não têm resposta, mas eu tinha uma urgência de fazê-la a qualquer pessoa que não fosse eu mesmo. Os olhos pequenos e negros de Thomaz ficaram úmidos, e sua garganta travou. Ele sempre teve uma boa relação com o Pedro. Era uma espécie de padrinho não oficial, já que o Pedro não havia feito rituais católicos como o batismo.

"Eu não sei, meu amigo. Acho que nunca vamos saber. São evidências que não se veem a olho nu. São coisas do coração, da alma…"

Demorei muito a continuar. Eu também tinha as minhas dificuldades para tocar em certos temas.

"Você acha que ele estava em depressão?"

"Olha, Ruy, essas coisas são difíceis de dizer…", Thomaz fez uma pausa e retomou, com tato. "Você sabe se ele fazia terapia?"

"Terapia? De jeito nenhum! Pedro era um cara bem resolvido", bufei.

Eu achava que as pessoas se sensibilizavam demais nos dias de hoje. Qualquer problema se transformava em uma tormenta. Como se a superficialidade dos tempos atuais fizesse as pessoas buscarem complicações ou lutas quixotescas para se sentirem mais vivas. Thomaz me olhou com preocupação, até com um pouco de pena, e deve ter me achado antiquado, intolerante e preconceituoso, como realmente eu era muitas vezes ao fazer comentários provocativos e lamentáveis. Talvez até tenha levado como uma ofensa pessoal. Thomaz era homossexual, mas eu nunca conversei sobre esse tema com ele. Havia algo de muito estranho e muito errado nisso. Além de mau pai, eu também devia ser um péssimo amigo.

"Vamos ser sinceros, Ruy. Quem de nós nunca pensou em se matar? Quem de nós não olhou para baixo no parapeito de uma janela e pensou por um segundo em acabar com tudo? Ou dirigindo o carro de madrugada? Ou esperando o metrô para ir trabalhar? Um belo dia, qualquer pessoa pode acordar e pensar: Por quê? Pra quê? Qual é o sentido? Você mesmo, quando estava em Londres…"

"Era diferente", interrompi.

Aquilo já havia passado pela minha cabeça algumas vezes na minha temporada fora do Brasil. Entretanto, eu nunca efetivamente cheguei perto de uma atitude como a do meu filho.

"Diferente por quê? Porque você era uma vítima da ditadura? Um exilado político? Um jornalista impedido de exercer seu ofício? Bela merda!"

Me calei. Ele tinha razão. Todos têm problemas, mas temos a mania de achar que os nossos são sempre maiores que os dos outros.

"Pelo menos naquela época a gente lutava!", falei alto, estapeando a mesa. "Só os covardes..." e depois travei a sequência do que ia dizer.

Thomaz me encarou com uma indignação latente.

"Não vai continuar?", disse ele, cinicamente.

Só o que eu podia fazer naquele momento era ficar calado. Thomaz havia conseguido tocar num ponto cego que eu evitava a todo custo. Eu não me conformava com o suicídio do Pedro. Não me conformava com o fato de alguém tirar a própria vida. Pedro não tinha os mesmos problemas sociais, raciais ou familiares dos moradores de rua que entrevistou. Ou de tantos outros. Ele tinha pai e mãe. Tinha uma família que sempre tentou dar o melhor de si. Estudou nos melhores colégios. Viajou para onde quis. Teve uma adolescência saudável, sem repressões. Tinha errado, trocado de curso e estudado o que queria. Tinha amigos fiéis, namoradas bonitas e inteligentes. Tinha uma carreira precoce de sucesso. Tinha tudo para estabelecer uma trajetória bonita e duradoura. O que mais ele queria? Para mim, naquele momento, suicidar-se era, sim, como abdicar de lutar. Merda, a vida não era assim?! Por tudo isso, eu tinha muita raiva do Pedro. Tinha tanta raiva que acho que foi por isso que fugi do velório e da cremação do meu próprio filho.

"Não o culpe, Ruy. Ninguém é imune a fazer o que ele fez", Thomaz pareceu ler meus pensamentos.

Meu amigo estava tentando de tudo para me tirar daquele lamaçal de rancor em que eu havia me metido, mas eu não ajudava em nada. Eu queria me afundar ali. Devagar. Consciente.

"Eu preciso descobrir a verdade, Thomaz. O motivo…"

"Como é que é?"

"Eu vou atrás dessa história. Eu preciso descobrir quem era o meu filho e por que ele fez aquilo."

Thomaz abaixou e balançou a cabeça. Bufou pelo nariz, discordando de tudo que eu tinha falado. Estava nervoso. Elevou o tom de voz.

"Por que você simplesmente não deixa o Pedro em paz? Ele morreu, Ruy! Ele morreu! Não tem mais nada que você possa fazer por ele. Você devia era pensar na sua mulher, se reaproximar. Marta ficou um pouco chateada com a repercussão do vídeo, mas…"

Então Thomaz parou. Percebeu que havia dado com a língua nos dentes. Tentou desconversar. Gaguejou.

"Vídeo? Que vídeo? Do que você está falando, Thomaz?"

"Você ainda está sem celular, não é?"

"Desembucha de uma vez, Thomaz!"

Ele ficou um pouco constrangido em falar.

"É que vazou em um grupo de jornalistas um vídeo feito no velório. Você foi filmado dormindo e roncando…"

Thomaz falou bem pausado e baixo, como se fosse um crime horroroso dormir e roncar.

"Eu estava esgotado!"

"Eu sei, Ruy. Mas as pessoas na internet são sádicas e não querem saber o contexto. Querem ver sangue."

"Muita gente viu?"

"Viralizou."

Thomaz pegou o celular e me mostrou o vídeo. Lá estava eu na cadeira que havia apanhado instantes antes, bem num canto nos fundos do salão, escondido para não atrapalhar ninguém. A imagem filmava o caixão fechado do Pedro e depois seguia, passava as cortinas e ia na minha direção. Eu, com a cabeça para trás, com a boca aberta, roncando como um urso. Uma geração de caracteres explicitava: "Enquanto o filho morre, o pai dorme". Eu não podia acreditar que alguém tivesse feito aquilo comigo. Qual era o limite da decência? Da ética? O que levaria um ser humano a espezinhar outro que provavelmente mal conhecia? A pessoa que fez isso checou ou se perguntou por qual motivo eu estava ali, largado nos fundos do lugar, daquele jeito? Não, ele apenas fez aquilo por algum tipo de prazer obtuso, pertinente aos novos tempos tecnológicos que eu desconhecia.

"Filho da puta!", gritei alto, chamando a atenção dos poucos que trabalhavam no bar ainda vazio.

Depois bebi meu uísque de um gole só e bati o copo na mesa com força. Minha mão tremia demais. Na verdade, meu corpo todo começou a tremer. Thomaz se levantou, assustado e indignado. Segurou-me com força pelos ombros e me aplicou um sermão.

"Chega! Você vai morrer desse jeito, Ruy!"

Baixei a cabeça, com vergonha de tudo. Eu estava profundamente abalado e, naquele momento, decidi parar de beber. Pedi com a voz embargada para Thomaz me tirar dali. Saímos rapidamente e fomos no carro dele até a casa onde morava, onde ele preparou algo para comermos. Eu nem sabia que o Thomaz cozinhava, embora mal tenha tocado na comida. Percebendo meu cansaço, ele me fez tirar os sapatos e deitar no grande sofá da sala de sua casa. Eu ainda estava meio anestesiado pela bebida que circulava na minha cabeça e no meu corpo.

"Thomaz, eu ainda não te agradeci por ter conseguido a autorização judicial para a cremação do Pedro…"

"Tudo bem. Deu um pouco de trabalho, mas nada que cinquenta anos de estrada não ajudem."

"Você foi lá com a Marta, não foi?"

"Sim, fui. Está tudo bem, Ruy. Foi rápido e eu tomei conta dela…"

Eu tive vontade de chorar, mas não tinha forças nem para isso.

"Obrigado, meu amigo."

"Descansa."

"Thomaz, o que ela fez com as cinzas do Pedro?"

"Ela levou para a casa de vocês. Não se preocupe com isso agora..."

Depois, apaguei. Dormi até o dia seguinte. Daquela vez, estava tão cansado que não me lembrava de haver sonhado com o Pedro.

DIA 4

Quando acordei e olhei no relógio eram quase seis da manhã do dia seguinte. Estava escuro. Thomaz estava dormindo no quarto. Esperei um pouco, pensando no que fazer. Achei a carteira de Thomaz sobre o balcão da cozinha americana e roubei algum dinheiro. Depois calcei os sapatos, desci, caminhei até um ponto de táxi e novamente me dirigi até o edifício do Pedro. O sol já dava as caras. Ao chegar, o porteiro me abordou:

"Tudo bem com o senhor?"

Todo mundo me perguntava isso. Era óbvio que não estava tudo bem comigo.

"Sim, tudo, obrigado."

"O outro porteiro disse que o senhor saiu rápido e meio esquisito daqui ontem. Fiquei preocupado…"

Só então reparei que era o mesmo porteiro da primeira vez. O que havia me emprestado dinheiro.

"Sabe como é. Lembranças. Me emocionei…"

"O senhor esqueceu a chave pendurada na porta do apartamento", e foi aí que ele me mostrou o pedaço de metal solitário em suas mãos.

Ele, então, me entregou e eu enfiei a mão no bolso, tirando uma nota de vinte.

"Tome. Obrigado por aquele dia."

"Não! De jeito nenhum. Eu estava ajudando. Não quero...", o porteiro disse, sério, recusando o dinheiro.

Não insisti. Apenas lhe agradeci, peguei a chave e subi no elevador. Fiquei um pouco tenso e tive de respirar profundamente ao caminhar pelo corredor do andar. Ao enfiar a chave na fechadura, no entanto, me detive. Espalmei as mãos nos batentes laterais da porta e pensei muitas coisas ao mesmo tempo. Depois de um minuto, entrei rápido, e a primeira coisa que fiz foi fechar de imediato a janela e também a persiana da sala. Só depois olhei ao redor.

A sala era pequena, mas havia um sofá espaçoso e, em frente, um móvel baixo e comprido que ocupava toda uma parede, que tinha várias gavetas e uma tevê acima. Nas paredes, três pôsteres de filmes clássicos enquadrados. Também sobre o móvel havia uma vasta quantidade de livros empilhados sem nenhuma ordem e diversos bibelôs. Um grande vaso de vidro quadrado e transparente que conservava uma planta enorme de galhos longos e poderosos estava solitário num canto. As folhas e a terra estavam bastante ressecadas e necessitavam de água, eu pude perceber.

Fui até a cozinha anexa à sala e procurei um recipiente. Peguei uma jarra de plástico de dentro de um armário embutido, fui até a pia e a enchi de água. Reguei a planta três vezes até ver a água penetrar pelos poros da terra através da redoma transparente. Depois molhei suas folhas e os brotos que surgiam dos galhos. Ao fazer isso, reparei que a planta na qual eu mexia não era exatamente uma planta de apartamento, mas sim uma espécie de árvore. Tinha um pequeno tronco da circunferência do meu pulso e galhos perpendiculares bastante compridos. Devia medir quase dois metros de altura e, logo, não caberia mais ali. Era uma espécie belíssima e marcante, mas eu não lembrava de tê-la visto antes, o que me fez pensar que fazia muito tempo que eu não ia ao apartamento do Pedro.

Depois fui olhar a geladeira. Havia pouca coisa. Algumas cervejas, frutas, ovos, iogurtes. Um pote de manteiga. Alguns restos de verduras murchas. Um pacote de pó de café pela metade. Sorri. Eu estava pensando justamente que tudo o que eu precisava naquele momento era de um café preto bem forte. Coloquei água para ferver no fogão de quatro bocas e não tive nenhum trabalho para achar uma garrafa térmica, coador e filtro de papel. A cozinha era pequena e tudo estava num mesmo armário superior, onde havia também alguns mantimentos. Senti fome. Abri um pacote de torrada e passei manteiga em uma delas. Ao mesmo tempo, terminei de fazer o café e apanhei uma caneca no armário. Depois percebi que havia outra, num canto da pia. Era preta e tinha a imagem de uma lua estilizada com um tiro no olho. Já havia visto aquela imagem antes, era de um filme antigo, mas não me lembrava qual. Não estava suja. Imaginei que poderia ser a caneca preferida do Pedro, a última coisa que usara, a última água que bebera. Fiquei com aquela caneca na mão não sei por quanto tempo. Não a lavei. Despejei o café dentro dela, tomei um gole e fui até o quarto do Pedro. A porta estava entreaberta. A janela, fechada.

Sua cama era daquelas em estilo japonês, com a estrutura de madeira baixa, rente ao chão. Os lençóis estavam todos remexidos, como se ele tivesse acabado de acordar, só que estavam frios. Ao lado, no chão, estava seu celular. Continuava ligado no carregador conectado à tomada ao lado. Incrível como ninguém ainda havia se dado conta daquilo. Quando foi encontrado morto, Pedro vestia uma roupa caseira: calça de moletom cinza e camiseta branca. Não usava relógio, correntes ou anéis. Muito menos celular. Estava descalço. A polícia deve ter encontrado a carteira no apartamento depois que o porteiro avisou que se tratava de um morador do edifício. Tive receio de olhar de perto, mas pelo visto estava funcionando. Uma luz azul indicava que o aparelho estava carregado. Esperei um pouco até decidir o que fazer. Havia uma cadeira e um mancebo no quarto, com peças de roupas atiradas sem nenhuma ordem sobre eles. Ao lado da cama, um pequeno abajur e mais alguns livros. Um notebook do outro lado. Também decidi esperar um pouco antes de resolver o que fazer com aquilo.

Na parede em frente à cama havia um painel de cortiça, daqueles em que se espetam anotações, fotos, bilhetes, entre outros tipos de recordação. Pensei por um segundo se a polícia não poderia ter deixado escapar o detalhe de um bilhete suicida. Havia uma série de fotos lambe-lambe de Pedro e Clara se beijando, mostrando a língua, fazendo careta, sorrindo, como aquelas fotos de parque de diversões de antigamente. Havia também alguns recortes de jornal aleatórios, com notícias que o interessavam, guardanapos de bar com anotações de teor artístico e um pedaço de papel de pão, pardo, com uma lista de um a dez escrita com caneta piloto vermelha. Não tinha título, mas era quase óbvio que eram os lugares que Pedro almejava ir algum dia.

1. Machu Picchu
2. Strokkur
3. Chapada dos Guimarães
4. Antártida
5. Serra da Estrela
6. Salar de Jujuy
7. Sichuan
8. Budapeste
9. Stone Forest
10. Danakil

Essa lista me deixou bastante angustiado. Seria uma espécie de carta de despedida?

Nas duas horas seguintes eu me dediquei a procurar em todos os lugares e em cada canto daquele apartamento alguma coisa que me ajudasse a compreender melhor o suicídio do Pedro. Até nos lixos chafurdei. Nada.

Deixei o armário embutido por último. E dei de cara com suas roupas. Eram quase todas sóbrias: branca, preta, cinza, no máximo uma roupa azul-marinho. Pedro nunca gostou de roupas coloridas. Ele era como seus filmes, um jovem em preto e branco.

Lembrei de quando o Pedro nasceu. E do quanto fiquei assustado com aquela quantidade de bebês em série que estavam ali no setor dos recém-nascidos. Qualquer descuido ou mesmo má intenção e pronto: seu filho sumiria ou seria criado por outros pais, assim como eu criaria sem saber uma criança que não tinha nada a ver comigo ou com a Marta. Uma criança poderia mudar de personalidade ao trocar de pais? Até que ponto a criação poderia modificar aquele ser berrante, numerado, arroxeado e feio deitado num berço plastificado e asséptico?

Pedro teria mais sorte se tivesse outra família?

Aos quarenta e cinco anos, depois de viver toda uma vida intensa, cheia de altos e baixos, compreendi que ninguém nunca está realmente preparado para ter um filho. Naquela noite, fui ao bar e bebi sozinho. Não houve charutos ou tapinhas nas costas. Não avisei ninguém sobre o nascimento do Pedro. E ali me senti um ícone do pastiche, do fracasso e do clichê. Bêbado, descobri que, acima de tudo, eu era um covarde.

No dia seguinte de manhã, na primeira vez em que tomei Pedro nos braços, eu estava de ressaca, com os olhos vermelhos rajados da boêmia e com hálito de uísque e cigarro. Marta me fuzilou com o olhar. Ela tolerava essas minhas crises que vinham de tempos em tempos, mas no dia do nascimento do nosso filho era algo que beirava o desrespeito e o cinismo. Um filho que, para mim, não era a perpetuação do meu futuro, mas sim um reencontro com meu passado. Ter um filho era como entrar na engrenagem da vida, no sistema circulatório do mundo, uma responsabilidade de regras autoritárias e predefinidas e sobre as quais eu não tinha nenhum apreço, muito por não ter tido relações afetivas com meus pais. A verdade é que eu sentia um pouco de vergonha de me assumir como pai. Por isso, enquanto pude, não contei a ninguém sobre a gravidez de Marta. E, depois que se tornou inevitável, demorei para aceitar a vitrine do enquadramento social que isso proporcionava.

Embora tenha me sentido assim durante a gestação e o nascimento do Pedro, aos poucos tentei me integrar ao cotidiano assustador de se ter um filho, de ser o pai de alguém. Ao mesmo tempo que via aquela criança berrar sem nenhum motivo durante horas madrugadas a fio, de manhã essa mesma criatura dava pequenos sorrisos de alegria que, na verdade, não deviam ser mais do que reações corpóreas, espasmos.

Com o passar do tempo fui me acostumando, mas tive muitos rompantes de negação, quando mentia para Marta sobre viagens a trabalho só para não ter de encarar a nova realidade. Passava muito tempo trabalhando e arrumando desculpas. À medida que Pedro ia crescendo, porém, eu me sentia mais confortável em relação a ele. Uma hora ele parou de chorar, tirou as fraldas e começou a murmurar coisas. Começamos a nos comunicar através dos olhos, dos gestos e, tempos depois, das palavras. E a vergonha que eu tinha do meu filho, não exatamente do meu filho, mas a minha própria vergonha de ser pai, aos poucos foi desaparecendo. Minha recusa à paternidade se metamorfoseava de forma gradativa em um sentimento de paz e tranquilidade, para depois se transformar em algo que eu nunca sentira antes, um amor inédito para mim.

Pedro se tornou uma criança formidável. Inteligente e aparentemente feliz, embora um pouco retraída. E um adolescente independente e ciente das questões importantes do mundo. Recém-saído do colegial, Pedro optou por estudar jornalismo, e eu não tinha dúvida de que ele seria um grande repórter. Depois de um ano, porém, para nossa grande surpresa, ele desistiu do curso e foi estudar letras, sob influência de Marta. Também não passou do primeiro ano. Na terceira tentativa, no curso de cinema e TV, ele se encontrou e permaneceu até o fim. Mas a verdade é que todos aqueles cursos pelos quais ele havia passado eram só um verniz, um acabamento para o que ele já vinha aprendendo e fazendo por conta própria. Pedro, intimamente, já tinha dentro de si o conhecimento e a bagagem necessários para começar suas realizações. Ele era um entrevistador nato e, ao mesmo tempo, um homem de bastidores. Seu lugar sempre fora atrás das câmeras, e meu filho descobrira isso cedo. Por isso, desde o início, ainda que inadvertidamente, sabia que seu caminho seria trilhado com documentários.

Pensei nessas coisas todas deitado em sua cama-tatame. Pedro enfim encontrara seu meio de expressão, mas talvez isso algum dia tenha cobrado um preço.

Seria a solidão a matéria-prima da liberdade artística? E ao atingir essa liberdade, o que sobraria?

O celular do Pedro era um smartphone desses modelos mais simples, que obviamente tinha uma senha, como todos os outros. Tentei tantas vezes quanto foi possível adivinhar a sequência de linhas para esquerda, para baixo, para a direita, para cima, até que desisti. Definitivamente, eu era um zero à esquerda no que tangia à tecnologia. Tentei o notebook, mas também não consegui acessá-lo: outra senha. Arrisquei algumas datas e nomes, mas me irritei e logo abandonei a ideia.

Pensei em telefonar para o Thomaz e pedir a ele o contato de algum dos rapazes que trabalhavam na área de tecnologia do jornal. Certamente seria um trabalho fácil para qualquer jovem do ramo. No instante seguinte, porém, refleti e concluí que não queria dar explicações ao meu amigo sobre o que pretendia fazer. Resolvi então levar o smartphone e o notebook bloqueados até uma famosa rua ali no centro mesmo, uma babel popular da pirataria tecnológica mundial.

"Senhor, desculpe perguntar, mas isso aqui é seu mesmo?", um balconista me olhou de cima a baixo, muito desconfiado.

"Que pergunta é essa, rapaz? Se fosse meu eu não iria trazer essas coisas aqui."

"Certo, mas não queremos confusão..."

"Por acaso eu tenho cara de ladrão?"

Eu vestia a mesma roupa havia dias. Estava todo amarrotado. Fedia. Minha barba crescia. Meus olhos tinham duas pequenas bolsas logo abaixo deles. Não lembrava a última vez que escovara os dentes e devia estar com um hálito desagradável de bebida, café e cigarro. Tentando entender seu ponto de vista, me abri.

"Olhe, estou passando por alguns problemas, mas não se preocupe. Tenho algum dinheiro...", e, dizendo isso, apanhei no bolso umas poucas notas que havia roubado de Thomaz. Era mais do que suficiente. "Essas coisas são do meu filho. Ele morreu faz alguns dias e eu preciso ter acesso aos aparelhos..."

Primeiro ele me olhou desconfiado, mas em algum momento se deu conta da penúria em que eu me encontrava. Acreditou na história do filho morto.

"Me desculpe. Sinto muito."

"Não sinta. Mude a senha para essa daqui, inclusive a do celular."

Disse isso e lhe dei um papel onde estava anotada a senha que eu uso para tudo. O aniversário de Marta. Se eu morresse e alguém quisesse bisbilhotar meu celular, meu notebook, acessar minhas contas bancárias ou qualquer outra coisa que precisasse de senha, seria a coisa mais fácil do mundo.

Em cinco minutos ele já me entregara os dois aparelhos. Dinheiro fácil, mas ele não quis aceitar. Apenas me olhou com piedade, me desejou boa sorte e foi atender outro cliente. Eu saí dali o mais rápido possível e, ainda que devesse ter ido para casa, resolvi voltar ao apartamento do Pedro. Estava tenso, olhava para todos os lados como se fosse um criminoso. Ao caminhar rapidamente, com o corpo fustigado por aquele sol opressor, fiquei pensando na morbidez que leva um pai a ficar indo e vindo ao apartamento no qual o filho se suicidara dias antes.

Eu não sabia bem se o que estava fazendo era certo ou errado. Estava prestes a cometer um crime de invasão de privacidade? Estava com o celular e o notebook de outra pessoa, havia pagado um hacker amador para destravá-los e disponibilizar novas senhas para mim e, logo, iria bisbilhotar os telefonemas, mensagens de texto, arquivos de computador e todo o resto que estava gravado naqueles aparelhos. Entre a euforia e o desespero, eu achava que tinha o direito de saber coisas particulares sobre meu filho que ele talvez não quisesse que eu soubesse.

A primeira coisa que fiz ao entrar novamente no apartamento do Pedro, foi sentar no sofá e examinar o histórico de chamadas. Verifiquei as efetuadas e constatei que, no dia em que morreu, Pedro não telefonara para ninguém. Nos dias anteriores, poucos telefonemas, basicamente para pessoas do seu círculo social. A produtora na qual trabalhava, Marta, Clara, Jorge, eu e um sujeito chamado Dante, cujo nome não me era familiar, mas estava marcado na agenda do celular do Pedro. Nas chamadas recebidas, tampouco nada de anormal, exceto o fato de Clara ter telefonado cinco vezes consecutivas na noite anterior ao suicídio e Marta várias vezes no dia em que ele morreu, além de uma ligação de Dante. Quem afinal seria esse personagem na vida do meu filho sobre o qual eu nunca ouvira falar?

Ao mesmo tempo confuso e eufórico pelas descobertas, entrei no WhatsApp do Pedro e encontrei 737 mensagens de texto ou de áudio não respondidas por ele. Me assustei um pouco. Perderia horas para checar tudo aquilo. Justamente eu, que não usava o aplicativo por rabugice, por não conseguir digitar as frases direito com meus polegares grossos e inábeis, e por achar que as pessoas perdiam mais tempo com aquilo do que com um simples telefonema. A verdade é que eu havia me transformado num homem fora do seu tempo. Perdido, sem função, obsoleto. Isso acontece quando se envelhece demais e se percebe que seu tempo passou, que você está fazendo hora extra na vida.

Passei a averiguar grupo a grupo, torcendo intimamente para não encontrar nada constrangedor. Um sentimento de culpa iminente de estar violando a privacidade do meu filho e de seus interlocutores crescia como um monstro amargo dentro de mim. Além de grupos de pessoas mais próximas que eu conhecia, havia mais de uma dezena de outras pessoas ou grupos de discussão. Olhei uma a uma, bem devagar, sentindo-me ao mesmo tempo no meu dever de pai e um homem medíocre burlando um princípio básico do ser humano. Houve um momento em que não consegui mais. Resolvi parar.

A última coisa que olhei foram as muitas notificações de Marta. Quando fui checar e notei que algumas das mensagens tinham sido enviadas depois da morte do Pedro, senti pena da minha mulher. Eram respostas a áudios antigos do Pedro. Ela dizia coisas como "Pedro, por que você foi fazer isso?", "Você podia ter conversado comigo", "Por que não me procurou?", entre outras coisas indecifráveis abafadas por seu choro.

Para mim também foi muito estranho escutar a voz do Pedro de novo. Por um segundo que pareceu interminável, ao ouvir algumas de suas gravações dirigidas à Marta, eu senti como se o tempo tivesse estagnado num momento anterior a tudo aquilo e ele ainda estivesse vivo.

A verdade, entretanto, é que o tempo nunca nos dá uma segunda chance. Voltar atrás não é uma opção.

Minha garganta se fechou por alguns instantes e meus olhos brilharam.

Que sofrimento é esse que nos faz chegar a esse ponto?

Suicídio: do latim, *sui*: "próprio"; *cidium*: "ação de matar".

Aos trinta e seis anos, no dia do seu aniversário no ano de 1930 e prestes a lançar o que seria sua obra-prima, o livro *Charneca em flor*, a poeta portuguesa Florbela Espanca se matou ao tomar uma overdose de barbitúricos.

Alberto Santos Dumont, pai da aviação e inventor do 14-Bis, aeronave que fez o primeiro voo da história em 1906, se enforcou usando uma gravata em um hotel de luxo, em 1932. Tinha cinquenta e nove anos.

Aos cinquenta e sete anos, o escritor uruguaio Horacio Quiroga tomou uma dose letal de cianureto, em 1937. Seu pai, seu padrasto, sua primeira esposa e seus três filhos também se suicidaram, em momentos diferentes da vida e de maneiras diversas.

* * *

Em 1941, a escritora britânica Virginia Woolf, autora de clássicos como *Mrs. Dalloway*, encheu os bolsos de seu casaco com pedras, entrou em um rio e se afogou, aos cinquenta e nove anos.

O escritor e ensaísta austríaco Stefan Zweig, autor de dezenas de livros, entre eles *Brasil, país do futuro*, tomou aos sessenta anos uma dose mortal de barbitúricos junto à esposa Lotte, em 1942.

Líder do Terceiro Reich e responsável por milhões de mortes durante a Segunda Guerra Mundial, o austro-alemão Adolf Hitler, aos cinquenta e seis anos, deu um tiro na própria boca enquanto sua esposa Eva Braun mastigou uma cápsula de cianeto em 1945, após a invasão russa a Berlim. Um dia antes, eles haviam se casado.

No mesmo ano, o alemão Joseph Goebbels, ministro da propaganda nazista e um dos principais disseminadores do antissemitismo que assolou a Europa na primeira metade do século xx, matou os seis filhos com injeções de morfina antes de tomar cápsulas de cianeto junto à mulher, Magda. Tinha quarenta e sete anos.

O gênio matemático inglês e precursor da ciência da computação Alan Turing, responsável por decifrar o "Enigma" —

sistema de codificação nazista —, que ajudou os aliados a vencer a Segunda Guerra Mundial, foi condenado criminalmente por sua homossexualidade e, tempos depois, comeu uma maçã envenenada com cianureto em 1954, aos quarenta e um anos.

No mesmo ano, o presidente do Brasil, Getúlio Vargas, pressionado a renunciar ao cargo por militares e pela imprensa, deu um tiro no coração aos setenta e dois anos, em seus aposentos no Palácio do Catete, no Rio de Janeiro, então capital federal.

O correspondente de guerra e escritor norte-americano Ernest Hemingway, que ganhou um prêmio Pulitzer em 1953 pela obra-prima *O Velho e o Mar* e o prêmio Nobel de literatura no ano seguinte, repetiu o ato do pai e estourou os miolos com um tiro de espingarda aos sessenta e um anos, em 1961. Anos depois, uma de suas netas também se suicidou.

Em 1963, a poeta e romancista inglesa Sylvia Plath, conhecida mais por sua obra poética e pelos diários escritos desde os onze anos de idade, vedou com toalhas molhadas o quarto de seus dois filhos, tomou algum tipo de narcótico, enfiou a cabeça dentro do forno e se intoxicou com gás, aos trinta anos. Muitos anos depois, um de seus filhos também se suicidou.

A cantora chilena Violeta Parra, que escreveu clássicos do cancioneiro popular latino-americano como "Gracias a la Vida" e "Volver a los 17", deu um tiro na cabeça aos quarenta e nove anos, em 1967.

* * *

Aos vinte e oito anos, o poeta brasileiro Torquato Neto, que escreveu inúmeras letras para canções de grandes músicos como Caetano Veloso e Gilberto Gil, abriu o gás e morreu intoxicado no banheiro de sua casa, em 1972.

O reverendo norte-americano Jim Jones, líder de uma das maiores seitas da história moderna, deu um tiro na cabeça aos quarenta e sete anos, sentado em uma cadeira de praia, após promover o suicídio coletivo de novecentas e dezoito pessoas na Guiana, em 1978.

Em 1980, Ian Curtis, o lendário vocalista e letrista da banda inglesa Joy Division, enforcou-se na cozinha do seu apartamento, aos vinte e três anos.

A poeta Ana Cristina Cesar, um dos principais nomes da chamada Geração Mimeógrafo da década de setenta no Brasil, se jogou do oitavo andar do apartamento dos pais, em 1983, aos trinta e um anos.

O escritor judeu italiano Primo Levi, que foi prisioneiro em Auschwitz e que talvez tenha sido quem melhor retratou os horrores do Holocausto, se atirou pelo vão interno do prédio onde vivia em 1987, aos sessenta e sete anos.

O compositor e guitarrista da banda norte-americana Nirvana, Kurt Cobain, após uma dose cavalar de heroína, posicionou uma espingarda no queixo e atirou em si próprio em 1994, aos vinte e sete anos. Seu corpo só foi encontrado três dias depois.

No mesmo ano, Kevin Carter, fotógrafo sul-africano e vencedor do prêmio Pulitzer pela famosa fotografia *O abutre e a menina*, posicionou a extremidade de uma mangueira no escapamento e outra dentro do seu carro fechado, intoxicando-se com monóxido de carbono, aos trinta e três anos.

Aos setenta anos, o filósofo Gilles Deleuze, um dos maiores pensadores franceses que surgiram nas manifestações de Maio de 1968, se atirou pela janela do seu apartamento em Paris, em 1995.

O criador do Jornalismo Gonzo, o escritor norte-americano Hunter Thompson, autor de *Medo e delírio em Las Vegas*, também atirou contra a própria cabeça aos sessenta e sete anos, em 2005.

Um dos maiores escritores norte-americanos de sua geração, David Foster Wallace, do cultuado romance *Graça infinita*, se enforcou no pátio da sua casa, em 2008, aos quarenta e seis anos, deixando uma obra inacabada na garagem ao lado.

No mesmo ano, Heath Ledger, ator australiano de apenas vinte e oito anos, que interpretou e venceu o Oscar de melhor ator por seu papel como Coringa na trilogia *Cavaleiro das trevas*, ingeriu sete tipos de medicamentos ao mesmo tempo, o que causou sua morte por overdose.

Em 2014, o comediante e ator norte-americano de *Bom dia, Vietnã* e *Sociedade dos poetas mortos*, Robin Williams, se enforcou usando um cinto, aos sessenta e três anos, em sua casa.

O virtuoso tecladista Keith Emerson, fundador do supergrupo de rock progressivo inglês Emerson, Lake & Palmer, morreu ao disparar contra a própria cabeça aos setenta e um anos, em 2016.

Aos cinquenta e três anos, o vocalista norte-americano Chris Cornell, da banda de rock Soundgarden, um dos ícones da Geração de Seattle, se enforcou no banheiro de um hotel após uma apresentação de sua banda, em 2017.

Em 2018, o jovem DJ sueco Avicii, uma das maiores estrelas mundiais da música eletrônica, usou cacos de vidro de uma garrafa de vinho para cortar o pescoço em seu quarto localizado em um luxuoso complexo hoteleiro na Jordânia, aos vinte e oito anos.

No mesmo ano, o chef de cozinha, escritor e apresentador de tevê Anthony Bourdain se enforcou aos sessenta e um anos de idade, em um quarto de hotel, na França. Ele trabalhava normalmente em mais um episódio de seu programa.

O ex-presidente do Peru, Alan García, se suicidou com um tiro na cabeça após receber voz de prisão sob acusação de corrupção, em 2019.

Não é necessário ser famoso ou ter uma carreira de sucesso. Pode-se entrar no rol dos suicidas históricos de outras formas.

Foi ao pular do terraço no octogésimo sexto andar do edifício Empire State, em Nova York, que Evelyn McHale, em 1947, entrou para a história como personagem do "suicídio mais bonito do mundo", segundo a revista *Life*. Robert Wiles, um estudante de fotografia que passava pelo local, flagrou e registrou o polêmico momento em que McHale estava caída sobre uma limusine preta. Seu corpo estava aparentemente intacto, suas pernas, cruzadas, e o semblante sereno, usando um colar de pérolas e luvas brancas. Havia ainda um bilhete suicida em seu bolso que dizia: "Ele ficará bem melhor sem mim. Eu não seria uma boa esposa para ninguém". A fotografia foi publicada em veículos de imprensa ao redor do mundo.

O casal Glenn e Patricia Scarpelli, de cinquenta e três e cinquenta anos, respectivamente, se suicidou ao pularem juntos do nono andar de um edifício em Nova York, em 2017. Em um bilhete encontrado na bolsa da mulher, estava escrito: "A vida foi maravilhosa".

Yukio Seki foi o primeiro camicase japonês a obter sucesso em sua missão de destruir o porta-aviões norte-americano USS

St. Lo, em 1944. Ele afirmou em entrevista que faria aquilo pela honra da sua família, e não pelo Japão. Ao todo, mais de dois mil pilotos camicase destruíram pontos estratégicos, porta-aviões e causaram a morte de mais de quatro mil soldados norte-americanos ao usar o suicídio como arma de combate durante a Segunda Guerra Mundial.

Terroristas extremistas suicidas sequestraram aviões comerciais, destruíram duas torres do World Trade Center e mataram centenas de pessoas no atentado do Onze de Setembro, em 2001, nos Estados Unidos.

Seriam todos os suicidas seres imortalizados por seus atos?

No século XVIII, o livro *Os sofrimentos do jovem Werther*, de Goethe, no qual um jovem aristocrata que se apaixona por uma mulher casada acaba por se matar com um tiro na cabeça, gerou uma onda de suicídios similares pelos mesmos motivos na Europa, onde acabou proibido em alguns países. A partir desse caso, a psicanálise cunhou o termo "Efeito Werther" ou suicídio por "contágio", quando celebridades ou personalidades públicas influenciam outras pessoas a fazerem o mesmo depois de cometerem o ato derradeiro.

No século XXI, um macabro jogo on-line chamado Baleia Azul, acusado de incitar jovens ao suicídio, e no qual hackers definiam cinquenta etapas — como mutilar-se, por exemplo — antes de cometer o ato final, teria sido responsável pela morte de ao menos cento e trinta adolescentes no mundo todo.

* * *

A faixa etária entre a infância e a adolescência é a que mais cresce em número de suicídios comparativamente com anos anteriores. Os casos são diversos. Uma criança de dez anos se matou por não ter dinheiro para ir ao cinema. Outra porque não tinha um celular como seus colegas. Outra porque sofreu bullying na escola. Outra porque não gostava de sua própria aparência. Outra porque teve fotos íntimas de teor sexual vazadas na internet. E outras tantas exatamente pelos mesmos motivos ou por outros quaisquer.

O suicídio é a primeira causa de morte não natural em muitos países do mundo, como China e Índia.

Nos Estados Unidos, em alguns anos, o suicídio matou mais pessoas que homicídios ou acidentes de trânsito.

Há um número maior de suicídios entre veteranos de guerra do que de militares e civis mortos em ação em combates recentes.

Ponte Golden Gate, nos Estados Unidos. Floresta de Aokigahara, no Japão. Cataratas do Niágara, no Canadá. Penhasco Beachy Head, na Inglaterra. Torre Eiffel, na França. Lugares famosos pela recorrência de suicídios.

A cada quarenta segundos, em média, uma pessoa se suicida no mundo.

Isso quer dizer que, enquanto Pedro iniciava o ritual de caminhar até a janela, se posicionar no parapeito, girar o corpo, pular, cair e se espatifar no chão, outra pessoa como ele, em algum lugar no mundo, estava fazendo a mesma coisa. Pulando de uma ponte, se jogando em frente ao metrô, atirando o carro em alta velocidade contra um poste, se enforcando, se drogando até chegar a uma overdose, se envenenando, se intoxicando com algum tipo de gás, apertando o gatilho de uma arma contra a própria cabeça.

A cada hora, em média, noventa pessoas se suicidam no mundo.

A cada dia, em média, 2160 pessoas se suicidam no mundo.

A cada semana, em média, 15 120 pessoas se suicidam no mundo.

A cada mês, em média, 64 800 pessoas se suicidam no mundo.

A cada ano, em média, 777 600 pessoas se suicidam no mundo.

Em 2015, 828 mil pessoas se suicidaram oficialmente no mundo.

Estima-se que ocorra de 10 milhões a 20 milhões de tentativas de suicídio por ano.

Estima-se também que esse número cresça, e que 1,5 milhão de pessoas se matem em 2020.

O número pode ser muito maior. A maioria dos países não tem estatísticas confiáveis nem dados suficientes registrados.

De cento e setenta e dois países, apenas sessenta possuem dados concretos e algum plano estratégico de prevenção ao suicídio. E são nesses cento e doze restantes que estão registrados quase oitenta por cento dos suicídios do mundo. O tabu aumenta ainda mais com a vergonha e a discrição da família em registrar a morte de seu parente como "suicídio". Muitos preferem categorizar como "acidente" ou "causa desconhecida" para não terem essa mancha negra na árvore genealógica da família. Isso, entretanto, diminui drasticamente as estatísticas. Pesquisas apontam que o número pode facilmente ultrapassar a barreira de um milhão de suicídios por ano.

Existem quase cem países ou colônias no mundo que têm menos de um milhão de habitantes. Os números equivalem a toda a população da Islândia, Andorra e Guiana juntas cometendo um suicídio coletivo a cada ano.

Os homens representam quase o triplo dos suicídios em relação às mulheres, campeãs de tentativas malsucedidas. Os homens da cidade são mais eficientes e violentos. Arma de fogo e enforcamento são os métodos predominantes. Envenenamento é típico de regiões rurais.

As causas de suicídio são diversas: distúrbios psicológicos como transtornos de ansiedade e de personalidade, bipolaridade, psicose e depressão, problemas familiares e conjugais, situação econômica, dependência química, alcoolismo, entre outros.

A maioria esmagadora dos suicídios ocorre de maneira impulsiva em momentos de crise. O gatilho pode ser qualquer coisa: problemas financeiros, término de relacionamentos amorosos, doenças crônicas, dificuldade de enfrentamento de conflitos, senso de isolamento e não pertencimento a essa mesma sociedade.

Ou seja, qualquer coisa.

DIA 5

Eu sou um jornalista. Um repórter. Uma espécie de investigador que apura fatos concretos e redige histórias reais. Sou um homem pragmático e cético, adepto da coerência e da lucidez. Se pretendia descobrir a causa do suicídio do Pedro, não podia permitir que o meu lado emocional atrapalhasse. Era muito fácil me deixar levar por esses devaneios metafísicos, fragilizado do jeito que estava.

Eu tinha que seguir o caminho da indignação e da dúvida, que foi o que sempre moveu a minha vida. Por isso talvez tenha passado o dia todo no notebook do Pedro pesquisando tudo o que podia sobre o tema. Li muitas matérias específicas e textos técnicos sobre o suicídio, cheguei informações, analisei estatísticas antigas e recentes, fiz anotações.

Falava-se muito sobre casos de suicídios famosos, envolvendo artistas como escritores e músicos, mas o número de mortes de anônimos em lugares e condições completamente distintos era infinitamente maior e, para mim, suplantava a tese de que a morte por suicídio era exclusividade de pessoas mais sensíveis, ligadas a algum tipo de arte, que pensavam o mundo de maneira diferente. O suicídio de um agricultor com dívidas ou de um aluno comum que tivera sua vida devassada pelas redes sociais teria a mesma carga emocional do suicídio de um ator em crise? As causas apontadas para o suicídio eram muitas, mas, ao mesmo tempo, generalizadas. As patologias mentais continuavam a ser a muleta dos especialistas e a depressão permanecia como a melhor amiga do suicídio. Entretanto, o cerne de toda essa dor podia ser resumido a uma só pergunta: a vida é mesmo insuficiente para aqueles que se matam?

Quando acordei na manhã seguinte, meu corpo já não doía tanto como nos primeiros dias. Eu estava me acostumando a dormir em sofás. Se começasse a dormir em papelões provavelmente me acostumaria também. O ser humano é assim: adaptável. Tomei um café bem forte e resolvi fazer o que tinha me proposto no dia anterior. Saí do apartamento do Pedro e caminhei bem umas três ou quatro quadras. O sol, o ar e a memória daquelas ruas me fizeram sentir melhor.

Quando cheguei ao café, ela já estava sentada a uma mesa quadrada no canto do salão. Era uma jovem e linda mulher. Cabelos afogueados cacheados e longos, sardas, olhos castanhos bem claros. Tinha também um par de olheiras profundas e, como era muito branca, elas tornavam-se ainda mais marcadas e evidentes. Não usava maquiagem e, talvez um pouco por esse motivo, aparentava ser bem mais nova do que o Pedro. Parecia distraída, e eu a assustei quando cheguei.

"Oi, Clara."

"Oi...", e ela me olhou de um jeito esquisito.

Eu nem de longe devia estar parecendo o Ruy executivo de jornal que ela conhecera.

"Me desculpe se estou te atrapalhando..."

"Não, não está. Esta semana eu não vou à faculdade."

"Você ainda está na faculdade?"

Eu realmente não me lembrava de quase nada sobre a Clara, mas perguntei mesmo para confirmar minha suspeita de que ela ainda era bastante jovem.

"Mestrado. Emendei depois da graduação, mas estou quase acabando."

Marta e Clara. Seria ela a Marta do Pedro, caso ele tivesse decidido viver? Eles formavam um casal com muita personalidade. Teriam lindos filhos, caso os quisessem. Ou desistiriam dos rebentos. De qualquer forma, seguiriam uma importante e vibrante carreira artística lado a lado.

"Foi na faculdade que vocês se conheceram, não foi?"

"Foi, mas só fomos sair bem depois. O Pedro namorava na época. E eu era duas turmas antes da dele."

A garçonete apareceu e pedimos dois cafés. Apalpei o bolso da calça para conferir se ainda tinha algum dinheiro e disfarçadamente confirmei. Aproveitei, então, para pedir uma garrafa de água com gás. Clara aceitou. Ela também gostava de água com gás, como eu e o Pedro. Similaridades. Pequenas coisas.

"Clara, novamente peço desculpas por ter feito você sair de casa para me encontrar. É que eu ando lendo muita coisa a respeito e estou tentando entender o que aconteceu com o Pedro. Eu ainda não consigo explicar por que ele fez aquilo, mas acho que sou capaz de descobrir. Tem que haver um motivo, entende?"

Ao mesmo tempo que eu tentava iniciar aquela conversa desagradável, percebi que também tratava do assunto como todos os outros: em cima do muro, cheio de dedos, meias palavras. Daquele jeito não ia dar certo. Como Clara continuava calada, apenas me olhando de um jeito assustado, coloquei as cartas na mesa.

"Eu quero falar sobre o suicídio do Pedro."

Nessa hora, Clara virou a cabeça na direção da janela e

seus olhos se encheram de lágrimas. Dei um tempo para ela se recuperar. Apanhei guardanapos de papel sobre a mesa e lhe entreguei.

"Não sei se estou preparada para isso, Ruy. Faz tão pouco tempo..."

Era incrível como doía encarar a verdade. Não falar sobre aquilo era uma anestesia necessária para seguir em frente. Resolvi jogar as minhas cartas na mesa de uma vez.

"Eu sei que você ligou para o Pedro cinco vezes na noite anterior ao suicídio. E ele não atendeu. O que aconteceu entre vocês?"

Ela então compreendeu que aquela não seria uma conversa amistosa. Me olhou com um semblante estranho e assustador que logo fez as lágrimas pararem de brotar de seus olhos. Clara finalmente adentrou o terreno conflituoso da realidade que eu estava propondo.

"Como sabe disso? Você mexeu nas coisas dele?"

"Eu só estou querendo entender..."

"Achou o celular dele. Foi isso, não foi?"

Meneei positivamente a cabeça.

"Você sabe que isso é invasão de privacidade, não sabe?"

Invasão de privacidade de um homem morto. Meu filho morto. Eu já havia pensado sobre isso. E não estava nem aí.

"Clara, aconteceu alguma coisa? Vocês brigaram?"

Quando falei isso, Clara derrubou a água em cima da mesa e em parte de sua calça também. Ela me olhou com um misto de dor, angústia e raiva, e eu, de novo, apanhei guardanapos quase ao mesmo tempo que uma garçonete apareceu com uma toalha seca. Assim que ela saiu de perto, Clara me disse duramente:

"Você está me acusando de alguma coisa?"

"É você que tem que me dizer...", disse de forma cínica e imperativa, como nos meus bons tempos de repórter colocando uma fonte contra a parede.

112

"Eu não fiz nada!"

Ela tentou soltar um grito, mas na hora de expulsá-lo da boca, a garganta fechou. Então novamente as lágrimas retornaram aos seus olhos. Mas eram lágrimas de raiva. Se eu não fosse um velho sujo e com aspecto de derrotado, pai de um filho que acabara de se matar, talvez ela tivesse me acertado um tapa na cara. Tentei amenizar para não perder a oportunidade de conhecer sua versão.

"Clara, eu só estou perguntando se algo aconteceu entre vocês que pudesse…"

"Fazer o Pedro se jogar pela janela?"

Ela finalmente se libertou e falou bem alto, o que fez muitas pessoas olharem para a nossa mesa, indignadas com o tumulto que estávamos causando.

"É isso, Clara. Agora você está começando a entender. Só que tem um detalhe importante aí: foi o Pedro que se jogou. Ninguém o empurrou. Foi ele. Só ele. Não foi culpa de ninguém. Eu só queria entender a cabeça dele, o que aconteceu, o que passou na mente do Pedro quando ele decidiu…"

"E você acha que isso vai adiantar alguma coisa?"

"Se você começar a me contar, eu vou poder saber."

Clara olhava para os lados, começou a roer as unhas sem nem perceber. Eu sabia que ela estava escondendo algo. Me enfureci com a inércia daquela menina. Então explodi:

"Merda, Clara! Fala alguma coisa!"

Clara voltou a chorar. Naquela hora, fiquei com pena dela. Ela tinha idade para ser minha neta, se eu tivesse começado mais cedo, ou mesmo uma filha temporã. Arrastei minha cadeira para o seu lado. O dono do café nos observava com fúria e devia estar torcendo para sairmos logo dali.

"Me desculpe."

"Um pouco…", ela disse um tanto engasgada, e eu não entendi.

"O quê?"

"Nós brigamos um pouco. Foi uma coisa idiota. Coisa de casal…"

"Conta. A hora é agora."

"Você sabe, o Pedro era um cara legal, tranquilo… Mas ele era manipulador. Gostava de fazer as coisas do jeito dele. As ideias que ele tinha eram sempre melhores, e ele sempre dava um jeito de fazer você gostar delas."

Foi a primeira vez desde a morte do Pedro que escutei alguém falar mal dele, ainda que de maneira serena. Clara tinha razão. Pedro era mesmo daquele jeito, centralizador e manipulador. Desde criança tinha sido assim. Por esse motivo executava todas as tarefas de seus filmes que julgava importantes, desde o roteiro, passando pela direção, até a montagem. Avaliando agora, a vida toda ele agiu dessa forma, comigo e com Marta também.

"Daí que nós íamos ao cinema. Estava combinado. Mas eu queria ver uma coisa e ele outra. E começou a tentar me convencer a assistir ao filme que ele tinha escolhido, cheio de argumentos e respostas para tudo, e eu me enchi e disse para ele se foder e ver o filme sozinho."

"Só isso?"

"Só."

Ela não parava de chorar. Precisou se recuperar para continuar.

"Isso foi na hora do almoço. Mas o Pedro também tinha o dom de fazer as pessoas se sentirem culpadas, ficarem com peso na consciência. Porque sempre parecia que ele não tinha feito nada. Ele sempre se vitimava. Então, à noite liguei para ele várias vezes para pedir desculpas e dizer que podíamos ver o filme que ele queria. Como se eu já não tivesse feito a mesma coisa outras vezes…"

"E ele não atendeu?"

"Não. Só caía na caixa postal. E aí eu fiquei com muita raiva dele. Por isso decidi que ia deixar o Pedro passar o fim de semana sozinho, pensando em como ele tinha estragado tudo." Eu já havia entendido a história. Trivial, idiota, como ela mesma havia dito. Pedro jamais se atiraria do décimo primeiro andar de um edifício por causa de uma discussão tola dessas com a namorada. A escolha de um filme. Ele teria de ser um escroque da pior categoria, um grande filho da puta para deixar aquela menina com esse trauma. E isso eu tenho convicção de que ele não era.

"Ruy, você acha que…"

Ela disse aquela frase reticente olhando para mim, com os grandes olhos aguados, esperando que eu a salvasse daquele sentimento ruim que ela nutria e que, levado adiante, poderia fazê-la sofrer de um jeito equivocado.

"Não, de jeito nenhum! Nunca mais pense nisso! Conheço meu filho. Ele não seria tão idiota. Ele já ficou algumas vezes sem falar comigo e dali a alguns dias estávamos rindo de tudo aquilo. E, no caso de vocês, isso não pode nem ser considerado uma briga. Uma discussão leve, no máximo. E pelo visto já havia acontecido outras vezes. Por um filme? Ah, vá…"

Clara me olhou desconfiada. No fundo, ela compreendeu que eu a isentava de qualquer culpa, mas talvez achasse que eu considerava outras possibilidades, assim como ela mesma deve ter feito inúmeras vezes. Se não tivessem discutido, por exemplo, eles teriam ido ao cinema ver o filme sugerido por Pedro, depois saído para beber ou jantar, retornado ao apartamento, transado. Dormiriam abraçados. E o dia seguinte deles, que era sábado, seria regado a uma boa garrafa de vinho, uma boa massa feita a quatro mãos com ingredientes que eles comprariam na feira livre e no supermercado, e um baseado pós-almoço. Então eles transariam outra vez, dariam risada de toda aquela confusão e decidiriam ir novamente ao cinema assistir, enfim, ao filme que Clara queria ver primeiro.

Isso tudo, claro, evitaria o suicídio do Pedro.

"Eu fico pensando a cada minuto que se eu tivesse ficado do lado dele nada disso teria acontecido. Que o fato de termos brigado talvez..."

"Esquece isso, menina! Já te falei e vou repetir: de jeito nenhum! O máximo que teria acontecido seria você ter postergado a morte dele. Já pensou por um momento que talvez o fato de ele ter se apaixonado por você tenha adiado essa decisão? Pode ter dado a ele mais de um ano extra de vida."

Eu era um hipócrita. Não acreditava naquelas palavras. A culpa não era mesmo dela, mas talvez a discussão entre eles tenha ligado o alerta vermelho inconsciente do Pedro antes do clique fatal. Se viu sozinho, isolado, vazio. Mente vazia, oficina do diabo, já dizia o ditado. Sem perceber, sem pensar em nada, pulou da janela. Eu tinha lido textos técnicos de profissionais da área de psicologia sobre os gatilhos dos suicidas. Qualquer coisa, por mais insignificante que fosse, poderia levá-los a entrar nesse grande e profundo vácuo sem sentido do mundo. Para sair, porém, precisavam de ajuda. E Pedro estava sozinho.

Olhando compenetrado para o vazio, dei um tapa forte na mesa, com a intenção de afastar aquelas ideias que estavam surgindo. Clara se assustou com aquilo e, visivelmente incomodada comigo, se levantou.

"Clara, por favor, me desculpe."

"Está tudo bem, Ruy. Acho que vou embora agora. Tchau...", ela disse e saiu andando.

Atirei uma nota sobre a mesa e corri até a saída do café. Estava me sentindo péssimo.

"Clara, você conhece alguém chamado Dante?"

"Como?"

"O Pedro tinha algum amigo chamado Dante?"

Clara pensou por alguns momentos.

"Não que eu me lembre. Mas por que a pergunta?"

"Por nada. É que um rapaz chamado Dante me deu os pêsames no velório e eu não o reconheci. Fiquei com isso na cabeça esses dias. Acho que era um colega de infância do Pedro", menti mal para Clara, que pareceu perceber. "Uma última coisa...", continuei.

Ela estava impaciente. Tudo o que queria naquele momento era não ver mais a minha cara. Continuei:

"Encontrei no apartamento do Pedro uma lista de lugares..."

Pela primeira vez, ela esboçou um sorriso tímido no canto da boca, mas não parecia ser para mim. Ela devia estar imaginando o Pedro na sua frente. Mas durou apenas um ou dois segundos.

"Não era nada de mais. Não vai te ajudar a chegar a nenhuma conclusão. Era só uma brincadeira nossa. Por mim, pode jogar fora", disse com firmeza, e me deu as costas, caminhando.

Pedro e Jorge eram amigos desde a infância. Estudaram juntos a vida toda: maternal, primário, ginásio e colegial. Tinham fotos com dois, cinco, dez, quinze, vinte anos juntos. Só se separaram na universidade por questões de afinidade intelectual. Mesmo assim, ainda que fizessem cursos diferentes, estudaram no mesmo campus.

Jorge era o melhor amigo do Pedro. O irmão da vida ou da alma, como se costuma dizer. Tratavam-se assim o tempo todo. Eram unha e carne. Fizeram praticamente todas as coisas que crianças, adolescentes e jovens fazem juntos. Ainda que em alguns momentos da vida se afastassem um pouco devido aos novos grupos de amigos, Jorge vivia lá em casa. Eu o considerava um membro da família.

Ao contrário de Clara, eu não havia combinado nada com ele. Entretanto, sabia que Jorge trabalhava na agência de seu pai. Eu era amigo do Hélio desde os tempos em que trabalhávamos juntos no jornal. Anos mais tarde, continuei no jornalismo enquanto o Hélio ganhou muito dinheiro depois de montar sua agência de comunicação e marketing corporativo. Quando cheguei à recepção, me informaram que o Hélio estava em uma reunião externa, mas eu logo perguntei pelo Jorge. Informaram--me que ele havia saído a pé e disse que não ia demorar. Já que eu era conhecido de todos ali, me deram um crachá de visitante e ofereceram uma sala de reuniões interna que ficava no térreo para eu esperá-lo.

No caminho até a sala, notei alguns olhares de piedade entre aqueles jovens que fingiam não ver o estado em que eu me encontrava. Teriam visto o vídeo do pai omisso que ronca no velório do próprio filho? Fui até o banheiro e, de frente para o espelho, constatei o óbvio: eu estava com uma aparência horrível, era um farrapo humano. Minhas roupas estavam amarfanhadas e sujas. Eu devia estar cheirando mal, mas não sentia meu próprio cheiro nem me incomodava mais com isso. Meu rosto, ainda que disfarçado pela barba por fazer, estava chupado, e meus ossos começavam a despontar. Meus olhos estavam rajados, vermelhos, e meu cabelo, pastoso e amarelado. Lavei as mãos com sabonete e depois o rosto, com força. Passei água nos cabelos, jogando-os para trás. Também enfiei as pontas da camisa para dentro da calça e ajeitei o cinto. Arregacei as mangas da camisa e tentei fazê-la parecer menos amassada. Acho que consegui disfarçar um pouco. Quando estava prestes a entrar na sala de reuniões, uma garota se aproximou de mim e me abordou.

"Oi, você está procurando o Jorge, não é?"

Olhei para ela, era uma garota altiva, de olhar superior, muito bonita, morena, que usava um rabo de cavalo e grandes argolas nas orelhas. Me lembrou um pouco a Marta quando era jovem.

"Sim, estou. Me pediram para esperar nesta sala."

"Ele vai demorar um pouco. Acabou de sair…"

Observei-a com atenção e entendi que era óbvio que ela estava com vontade de me dizer algo.

"Você sabe para onde ele foi?"

Ela me olhou fixo, com algum respeito, o que fez eu me sentir um pouco melhor.

"Você é o pai do Pedro, não é?"

"Está muito na cara?"

"Você se parece com ele. Ou ao contrário, sei lá. Desculpe. Eu conheci o Pedro. Meu nome é Ana", disse e me deu a mão, um pouco ridiculamente.

"O meu é Ruy. Mas você ia me dizendo...", tentei reativar a conversa.

"Sinto muito pelo que aconteceu com o Pedro. Ele era legal..."

"Tudo bem."

Ela olhou para os lados. Parecia que queria me contar um segredo.

"O Jorge e eu, bem, a gente está saindo... Por isso sei onde ele está. Depois do que aconteceu, ele vai à igreja aqui do bairro todos os dias. Gosta de ficar sentado, pensando... O Jorge ficou muito abatido com a morte do Pedro."

Não sabia que o Jorge era católico. Achava, inclusive, que ele não era batizado, assim como o Pedro. E nisso Ana interrompeu meus pensamentos, me explicou onde era o lugar e desenhou um mapa em um pequeno pedaço de papel.

"É fácil. E acho que vai ser bom vocês dois conversarem longe daqui."

A igreja ficava a pouco mais de um quilômetro da agência, e eu demorei cerca de quinze minutos para encontrá-la. Era uma igreja antiga, com paredes de blocos de pedra maciça e escura. Tinha um tamanho médio e, de onde eu estava, de pé na calçada à frente, conseguia ver a cúpula e o campanário. As grandes portas estavam abertas e, quando resolvi entrar, pensei que não me lembrava da última vez que pisara em uma igreja. Provavelmente em algum casamento.

Ali dentro pairava uma penumbra amenizada por inúmeras e pequenas arandelas de luzes amarelas que ladeavam seus dois corredores laterais, e também por candelabros acobreados que sustentavam muitas velas acesas no corredor central. Os vitrôs coloridos de temática religiosa na parte alta das paredes filtravam a luz solar e davam um aspecto ainda mais sacro ao ambiente. Quando vi a imagem de Jesus Cristo crucificado ao fundo, senti um certo constrangimento, o que me fez pensar em fazer o sinal da cruz. Depois refleti: por que deveria fazer isso agora se durante a vida toda não me importei?

Jorge estava sentado na primeira fileira, olhando fixo para o altar, meio catatônico, com os pés sobre o genuflexório, e se surpreendeu ao me ver parado a seu lado.

"Oi, Jorge."

"Seu Ruy? Como o senhor...", ia perguntando, quando o interrompi.

"A sua namorada. Ela me disse que você estava aqui..."

Sentei ao lado dele.

"O meu pai está fora em uma reunião."

"Tudo bem. Eu não quero falar com o seu pai. É com você mesmo que eu gostaria de conversar."

"Comigo?"

"É. Com você..."

"O senhor não prefere ir a algum lugar ou..."

"Jorge, por mim pode ser aqui mesmo."

Jorge voltou a olhar fixamente para a frente. Para o Cristo. E o Cristo parecia olhar para nós.

"Meu pai não pôde ir ao velório do Pedro porque estava no exterior a negócios. Disse que tentou lhe telefonar esses dias, mas não conseguiu. Foi até sua casa e também não o achou. Deixou recado com a dona Marta. Ele gostaria muito de se desculpar."

"Deixa isso para lá, Jorge. Conheço seu pai. Somos amigos.

Está tudo bem. Ele não precisa pedir desculpas por isso. Eu vim aqui porque queria te fazer algumas perguntas sobre os últimos dias do Pedro."

Ele ficou um tempo em silêncio, tentando entender qual o sentido daquilo, para depois responder.

"Pode fazer, seu Ruy, mas, de verdade, não sei em que posso ajudar..."

"Estou investigando a morte do Pedro. Quero saber se houve algum motivo específico para ele ter cometido suicídio", eu disse rápido, afobado, o que pode ter causado uma má impressão.

E nisso, Jorge olhou para baixo, para os sapatos de couro negro brilhantes e pontudos. Ele era o avesso do Pedro. Não conseguiu dar os próprios passos, ter o seu próprio brilho e, aos poucos, foi se tornando uma miniatura do Hélio.

"Isso não vai mudar nada. O Pedro morreu. Seja lá por qual motivo ou se houve mesmo um motivo..."

Ignorei completamente o que ele falou e continuei:

"Como ele estava nas últimas semanas? Ele fez algum comentário estranho? Seu comportamento estava diferente de algum modo que você pudesse ter desconfiado? Alguma palavra, algum gesto?"

Jorge me olhou assustado e talvez com um certo tipo de comoção. Eu fazia objetivamente aquelas perguntas todas como se ainda fosse um repórter na ativa, mas o mais provável é que estivesse fazendo um papel ridículo ali, da mesma forma que fizera com Clara pela manhã.

"Bom, o Pedro nunca foi a pessoa mais transparente do mundo. Ele era estranho. Vivia pensativo, no mundo dele."

Jorge conhecia meu filho. E era mesmo um bom amigo.

"É, eu sei. Ele tinha esse jeito, mas nessa maneira de ser dele, não houve nada de diferente, fora do normal?"

"Não que eu me lembre..."

"Hum... E o que vocês fizeram nas últimas semanas?"

"O de sempre. Fomos a uma festa no fim de semana passado. Era de uns amigos dele. Uns caras que tinham acabado de fazer um filme. Ele me chamou e ficamos até tarde. Ele foi com a Clara e eu com a Ana."

Em algum momento eu teria que tocar naquele assunto com Jorge. Aproveitei o fato de ele estar falando sobre uma festa.

"Jorge, me fala a verdade: vocês fumaram maconha na festa? Me desculpa perguntar assim, mas na verdade o que eu quero saber é se o Pedro andava fumando maconha demais ultimamente."

Com essa, peguei Jorge desprevenido. O elemento surpresa. Essa era uma das técnicas que eu usava para desestabilizar meus entrevistados ou minhas fontes quando as coisas não saíam do lugar.

"Que é isso, seu Ruy?!"

Jorge me chamando de "seu Ruy" parecia um garoto de dez anos. Ele ainda mantinha o respeito pela hierarquia da idade. E devia estar ganhando tempo e pensando no que deveria responder.

"Jorge, você acha que eu não sabia que você e o Pedro fumavam escondidos no banheiro da área de serviço da minha casa, aquele com a janela lateral para os fundos do prédio? Ora, garoto. Deixa de besteira. Eu também já fumei muita erva na minha vida. Já esqueceu que sou jornalista e que vivi os anos sessenta e setenta?"

Ele ficou em silêncio, um pouco surpreendido com a minha sinceridade, e só depois respondeu.

"Me desculpe, seu Ruy. O Pedro nunca comentou nada sobre isso..."

Naquele momento, algumas memórias me vieram à cabeça, eu me emocionei e tive de respirar fundo para não desabar ali, no último lugar em que gostaria de ter uma síncope. Compreendi que, ao decidir não contar para o seu melhor amigo, Pedro havia guardado aquele nosso momento de pai e filho exclusivamente com ele. Fechei os olhos por alguns segundos e senti saudades do meu filho de dezessete anos, da sua sabedoria juvenil, do seu espírito libertário, do seu desprendimento das coisas.

"Seu Ruy, está tudo bem?"

Não consegui responder. Eu sentia aquilo novamente, uma sensação de sufocamento, de aprisionamento, e parecia que eu ia morrer. Era como se estivesse preso dentro de uma armadura de ferro. Suava frio. Desesperado, Jorge tirou do bolso uma cartela de comprimidos.

"Seu Ruy, por favor, toma isso. Coloca debaixo da língua. É um calmante forte. Eu também estou tomando esses dias."

Primeiro, tentei controlar minha angústia através da respiração. Marta havia me ensinado alguns truques que aprendera na ioga. Na medida do possível, consegui me controlar, mas decidi aceitar a ajuda do Jorge, pois não estava me sentindo nada bem. Tomei dois comprimidos. Jorge estava branco como um boneco de cera e muito nervoso quando eu me recuperei.

"Puxa, o senhor me assustou de verdade…"

"Eu tenho tido essas crises com alguma frequência. Não se preocupe. Um dia você também vai ficar velho. Ou não…", disse, mas logo me arrependi.

Jorge respondeu com um sorriso sem graça. Entrelaçou os dedos. Ficamos um tempo sem falar nada enquanto a minha respiração voltava ao normal.

"Pode continuar…"

Ele me encarou.

"Acho que eu devia levar o senhor a um médico…"

"Acabei de sair do hospital outro dia. Não se preocupe. Estou bem. Fale um pouco mais sobre essa última semana."

Jorge bufou. Provavelmente queria se livrar de mim o mais rápido possível. Com os anos eu me tornara um ser desagradável. Ainda mais nesse momento.

"Bom, além da festa, eu encontrei com o Pedro duas vezes essa semana. Almoçamos juntos um dia e no outro tomamos um café num fim de tarde. Exatamente no dia anterior ao..."

"Suicídio."

"É. No dia anterior ao suicídio..."

Parecia que dizer essa palavra tirava um fardo muito pesado das costas de cada um de nós. Era como assumir uma realidade que queríamos negar com todas as nossas forças. Ele continuou.

"Conversamos sobre algumas coisas. Pedro tinha planos. Ele queria fazer outro filme em breve. Dizia que não iria viver dos louros do filme premiado. Tinha um esboço de roteiro sobre esse extremismo de pensamento que está acontecendo hoje. Seu Ruy, ele tinha planos, entende?"

Lembrei do painel do quarto dele e da lista de lugares fantásticos do mundo que provavelmente ele e a namorada gostariam de conhecer antes de morrer. Ou, para ele, seria uma lista do avesso? Uma lista de lugares que ele nunca conheceria pois estava decidido a dar cabo da vida?

"Também já tínhamos programado ir na semana que vem à casa de praia do meu pai..."

Pedro ter planos futuros era um contrassenso ao suicídio. E era isso que me deixava atordoado. Se tinha planos, roteiro de um novo trabalho, viagem marcada, por que ele teria feito aquilo?

"Jorge, isso é importante. Você conhece algum amigo do Pedro chamado Dante?"

Pensou por alguns instantes.

"Não. Nunca ouvi falar. Não é alguém da produtora?"

"Não. Já liguei lá. Ninguém conhece."

"Perguntou à Clara?"

"Ela também não conhece."

Jorge tirou seu smartphone do bolso e consultou as redes sociais.

"Eu já fiz isso..."

"É, não tem nenhum Dante amigo dele aqui e nem aqui..."

"Vou te perguntar uma coisa. Não mente, por favor", disse, precisando de uma pausa para respirar. "Você saberia me dizer se o Pedro estava envolvido com outro tipo de droga? Pensei que esse Dante talvez pudesse ser um traficante..."

Nem sei por que perguntei aquilo. O exame toxicológico do corpo do Pedro não dera positivo em nada. Nem álcool, nem cannabis, nem qualquer outro tipo de droga. Ele estava sóbrio e limpo quando decidiu se matar.

"Olha, seu Ruy, para ser honesto, o Pedro e eu já usamos outras drogas, mas em pouquíssima quantidade e quase sempre em alguma festa. Ele não usava nada com frequência. Nem maconha ele usava muito, atualmente. Tenho absoluta certeza disso. Essa história de traficante não faz nenhum sentido."

Ficamos nos olhando por alguns segundos. Eu tinha outra ideia que havia me passado pela cabeça desde que vi as chamadas de Pedro a esse Dante e vice-versa. O que me deixava ainda mais desconfiado era o fato de eles não conversarem pelo WhatsApp ou por outra rede social, como qualquer pessoa faria. Eram somente os telefonemas. Esparsos, mas que estavam sempre lá. Um relacionamento misterioso sobre o qual nem a namorada nem o melhor amigo tinham conhecimento.

"Jorge, você acha que o Pedro poderia levar alguma espécie de vida dupla?"

"Vida dupla?"

"Como ter uma vida paralela que ninguém soubesse. Como um cara que tem duas famílias, essas coisas..."

Ele me olhou desconfiado antes de responder.

"Não sei aonde o senhor está querendo chegar."

Perguntei de supetão. Eu estava com essa grande dúvida martelando meus pensamentos desde que apanhara o celular do Pedro.

"Você acha que o Pedro poderia ser gay ou, talvez, bissexual?"

Jorge me olhou, estupefato.

"De onde o senhor tirou essa ideia, seu Ruy?"

"Esse tal de Dante e ele conversavam com alguma frequência. Com alguns intervalos, tem ligações semanais ou quinzenais entre eles durante meses. Ele ligou para o Pedro no dia da morte dele!"

"Mas esse cara pode ser qualquer um. Um produtor, algum roteirista amigo dele, alguém que ele estivesse entrevistando para um novo trabalho, qualquer um…"

"Pode, mas não é. E eu vou descobrir! Não há nenhum vínculo desse Dante com o Pedro nessas redes sociais. Isso é possível hoje em dia? A não ser que ele quisesse esconder essa relação…"

Falei alto, com certa ironia e raiva, e dei um chute forte nas costas do banco à nossa frente, que fez o som ressoar pelo ambiente. Jorge apenas se calou.

"Posso tentar ajudar o senhor perguntando para outros amigos, mas tenho absoluta convicção de que não existe a menor possibilidade de que sua teoria se concretize pelo simples fato de que, se o Pedro escondeu isso de todos nós, ele não foi fiel à sua personalidade. E, para mim, isso é inconcebível e impossível. Ele sempre foi muito sincero e livre de qualquer preconceito."

"Assim como era inconcebível e impossível para todos nós que o Pedro de um dia para o outro se jogasse pela janela do apartamento. E, falando em sinceridade, ele também foi muito verdadeiro quando escondeu seus problemas de mim, da mãe, do melhor amigo e da namorada, não é?", vociferei com raiva.

Jorge não quis responder. Simplesmente ficou calado um

longo tempo, e eu o acompanhei. Era um silêncio cúmplice que simbolizava anos de convivência. Ambos voltamos a olhar a imagem do Cristo à nossa frente.

"Talvez o Pedro precisasse entender que existem coisas maiores do que ele ou que qualquer um de nós...", ele disse misteriosamente, sem desviar os olhos.

"Como assim, Jorge?"

Ele não parava de olhar fixamente para o Cristo. Tinha os olhos duros, tristes. Eu falei outra vez:

"Você está falando de... deus?"

Jorge estava paralisado. Parecia obcecado por uma ideia ou pela imagem à nossa frente.

"De onde você tirou essa ideia, rapaz? Seu pai e eu...", comecei meu discurso, mas Jorge finalmente me interrompeu.

"São ateus? É, eu sei. Todo mundo sabe. Vocês, os jornalistas comunistas e ateus dos anos setenta. Mas vocês se perguntaram alguma vez se eu ou o Pedro gostaríamos de encerrar a ideia sobre esse assunto?"

Fiquei em silêncio e ele continuou.

"Eu tenho vindo aqui pensar desde o dia em que o Pedro se matou, seu Ruy. Tenho pensado muito. E não tenho encontrado respostas concretas. Porque talvez elas não existam. Mas aqui, estranhamente, eu me sinto calmo. E, então, comecei a olhar essa imagem e passei a pensar se o fato de entender que existe algo além, algo maior do que tudo, e que nossas vidas e nossos problemas não são merda nenhuma perto de tudo isso, se isso não poderia nos deixar mais tranquilos, menos angustiados... Não estou falando de religiosidade. Tem mais a ver com relativizar as coisas. Compreender que existe algo maior e mais complexo nos torna menores, menos exigentes, menos importantes. Não nos transforma no foco, no alvo, entende? Talvez isso pudesse ter salvado o Pedro..."

Fiquei calado. Ele tinha a sua razão. Jorge, assim como eu, buscava as suas respostas. Clara também devia estar passando pelo mesmo processo, assim como Marta e todos que tinham maior proximidade com Pedro.

Ficamos encarando a imagem do Cristo mais algum tempo. Ele realmente parecia estar olhando de volta para nós dois. Me senti incomodado e constrangido, mas fiquei ali refletindo sobre o que Jorge havia dito. Fazia sentido pensar sobre coisas que havia muito deixara de pensar.

"Obrigado, Jorge. Você me ajudou muito..."

E dizendo isso, passei-lhe o braço pelas costas, abraçando-o com força.

Senti muita pena do Jorge, e me despedi dele sentindo algo que não conseguia definir. Ele continuou sentado, olhando fixamente para a imagem enquanto eu saía de lá decepcionado comigo mesmo.

Eu, como um repórter que procurava respostas concretas, estava indo muito mal.

Dante trabalhava num edifício de três andares em um bairro residencial de classe média alta. Rua arborizada, florida, organizada, limpa, nem parecia o mesmo país em que vivíamos. Quando liguei para o seu celular, me identifiquei como o pai do Pedro, e disse que queria conversar com ele. Dante foi pragmático, porém receptivo, propondo que nos encontrássemos dali a duas horas, e me deu o seu endereço prontamente. Eu só não sabia ainda que aquele era seu local de trabalho. Quando cheguei, porém, vi a placa metalizada com seu nome: Dante Gullar, psicólogo.

Foi uma surpresa. Fiquei alguns minutos quieto, debaixo do sol, paralisado, encarando aquela placa com o nome dele e pensando em como eu era um idiota. Um idiota cheio de preconceitos. Pior. Um idiota cheio de preconceitos que não conhecia o próprio filho.

Demorei um pouco a me recompor. Quando enfim consegui, percebi que não havia porteiro no edifício, e sim interfones individuais para cada um dos consultórios, todos ligados de alguma forma à saúde mental. Era um desses espaços coletivos modernos, formados por profissionais com habilidades afins. Apertei o botão e me identifiquei, e a porta foi aberta com um clique. Seu consultório era no primeiro andar e me encaminhei para as escadas, já que não havia elevador. Ali, subindo lentamente os degraus, senti uma ponta de euforia. Poderia ter algumas respostas mais rápido do que planejara. Entretanto, sem que pudesse controlar, essa pequena faísca, degrau a degrau, logo se transformou em uma náusea intermitente que me subiu pela garganta e me fez arfar.

Ele estava me esperando em frente à porta do consultório e me recebeu com uma expressão indefinida e um aperto de mão delicado, mas firme. Ele não era velho. Muito pelo contrário. Não devia ter nem quarenta anos. Mas usava uma barba robusta, e isso dava a ele um aspecto mais velho, sério e competente. Com um gesto de mão, me convidou a entrar. Não havia sala de espera nem secretária. Ele devia ser bem pontual.

"Entre, por favor, Ruy", disse e me ofereceu uma poltrona confortável que ficava bem em frente à outra que eu, supostamente, achei que fosse a dele. Entre elas, pairava uma mesa de centro com alguns bibelôs, uma moringa com água e copos do mesmo material, e uma caixa de lenços. Eu nunca havia estado em um consultório de psicologia na vida, mas imaginava essas salas parecidas com a que eu havia acabado de entrar. Séria, repleta de livros distribuídos em estantes altas que tomavam paredes inteiras para valorizar a sapiência do terapeuta, além das cortinas fechadas na medida certa para comunicar que o mundo deles era algo seletivo, único, clássico.

Ficamos olhando um para a cara do outro. Eu esperava que ele tomasse uma atitude. Ele devia esperar o mesmo de mim. Em dado momento, não sei se foi apenas um tique, eu estava cansado demais para ter certeza, mas tive a impressão de que ele havia semicerrado os olhos para me analisar. Achei aquilo péssimo.

"Você sabe por que vim aqui?", finalmente eu disse.

"Sim. Eu gostaria, antes de tudo, de me solidarizar com a sua perda."

Se solidarizar com a minha perda? Essa eu ainda não havia escutado. Fiquei um pouco estupefato. Achei aquela declaração ridícula, pomposa. Não imaginava ele se derramando em lágrimas, mas talvez esperasse algo mais humano. Acho que cheguei a bufar de indignação e a balançar a cabeça em desaprovação. Talvez ele tenha percebido, pois o que disse em seguida com certeza foi uma estratégia para contemporizar o que estava começando mal. Ele arqueou o corpo para frente e ficou bem perto de mim. Olhou direto nos meus olhos.

"Ruy, eu sinto muito mesmo pela morte do Pedro."

Ao menos, o doutor usou a palavra "morte" e dispensou aquele sentido amplo e confuso de "tragédia".

"Obrigado, dr. Gullar."

"Pode me chamar de Dante, por favor."

Pensei inúmeras vezes no que dizer, em como começar e, mesmo assim, naquele momento, não conseguia. Eu estava entrando no jogo silencioso da primeira consulta entre psicoterapeuta e paciente, embora não estivesse ali como paciente e sim como pai de um filho suicida. Tentei ganhar tempo me aprumando na poltrona, que, apesar de macia, não estava nada confortável.

"Eu estou investigando a morte do Pedro", disse finalmente. Como ele apenas franziu a testa, eu continuei para não perder o rumo. "Você sabe, apurando os fatos que possam tê-lo levado ao suicídio…"

Dante balançou a cabeça positivamente. O gesto me fez achar que, para ele, o fato de eu ter assumido para mim mesmo que Pedro havia se matado já era um bom início. Significava que eu era um ser mais evoluído, consciente e que, possivelmente, não tivesse aparecido com o intuito de criticá-lo, como talvez ele achasse que eu poderia fazer naquela visita. Imaginei que pais sem nenhum tipo de preparo deviam aparecer aos montes em consultórios como aquele, querendo explicações do psicólogo que havia deixado seus filhos morrerem.

"E o que conseguiu apurar?"

"Algumas coisas..."

Quis deixar tudo em suspense para observar a sua expressão. Da mesma forma que ele me analisava como psicoterapeuta, eu também tinha as minhas técnicas como repórter.

"Você quer falar sobre essas coisas?"

Que pergunta ridícula. Eu estava ali, não estava?, pensei. Entretanto, achei que estava me perdendo e resolvi recomeçar de um ponto obscuro para mim. Eu precisava ordenar a cronologia dos fatos para compreender aonde deveria chegar.

"Há quanto tempo o Pedro se consultava com você?"

"Isso é importante?"

"Claro que é!", disse, impositivo, levantando a voz.

Dante fez uma pausa para pensar o que faria. Ficou incomodado com a minha alteração no tom da conversa.

"Bem, se é importante para você, o Pedro fez dois anos de terapia."

"Dois anos?", interrompi, gesticulando, surpreendido pela informação.

Eu não conseguia entender. Fiquei pensando nos motivos que fizeram o Pedro não me contar o que estava havendo. Eu era seu pai, nós mantínhamos um bom diálogo.

"Visto de fora parece muito, mas cada processo terapêutico é único e demanda seu próprio tempo. Dois anos, muitas vezes, é apenas o início. O Pedro, entretanto, interrompeu esse processo já faz quase um ano."

"Por que ele saiu?"

"Porque ele quis."

"Simples assim?"

"Simples assim."

"Você não tinha que lhe dar alta antes?"

"Normalmente sim, conversamos muito sobre isso, mas ainda assim ele quis suspender a terapia. E eu não poderia obrigá-lo a ficar."

Um fiapo de agonia e destruição tomou conta de mim em um segundo.

"Você não percebeu suas tendências suicidas?"

Lá ia eu partindo para o ataque. Eu podia ser agressivo quando encarnava minha porção repórter. Fiz isso a vida toda. Quis respostas a vida toda. Buscava-as de todas as maneiras, nem que tivesse que romper algumas barreiras da civilidade. Toda a minha vida foi pautada por esse movimento.

"O Pedro não aparentava ter tendências suicidas."

"Ah, não?"

Aí eu me levantei bruscamente da poltrona, bufando, gargalhando e ironizando o máximo que podia aquele psicólogo de quinta categoria que não sei onde o Pedro foi arranjar. Caminhei até a janela, entreaberta. Puxei sem nenhuma gentileza as folhas da persiana. Lá fora, o sol, a rua limpa, bonita, arborizada e florida. Pessoas bonitas passando. Uma vida asséptica e preservada. Ele achava que o mundo era aquilo?

"Vamos lá: se ele não tinha tendências suicidas, por que então se matou?"

Perguntei à queima-roupa, mas Dante se mostrou sereno, inatingível. Ele sabia que não podia de jeito nenhum cair na minha tática de guerrilha, de confronto. Ficou pensando bastante antes de responder:

"Ruy, o suicídio é um ato muito complexo. É passível de

generalizações, mas temos que ter cuidado para não o vulgarizar. É um ato particular que muitas vezes dá pistas que podem e devem sim ser analisadas e até tratadas com medicação, mas tantas outras vezes se mostra silencioso. Acredito que foi o caso do Pedro."

"Assim fica fácil se eximir…"

Grunhi e falei baixo para mim mesmo, mas ele escutou.

"É preciso cuidado. Agrupar pessoas em categorias impede que enxerguemos o ato de forma mais ampla. As razões que levam pessoas ao suicídio podem ser quase tão vastas quanto o número de suicidas, ainda que partam de uma matriz comum."

"Você não quer falar sobre o assunto", insisti.

"Estamos falando sobre o assunto."

"O.k., vamos lá então. Você está me dizendo que meu filho foi seu paciente durante dois anos e você não percebeu nenhuma tendência suicida, nenhum problema ou tristeza enraizada que pudesse fazê-lo pensar em se matar. É isso?"

Dante me observou como se estivesse pensando que teria sérios problemas comigo. Estalou um dos dedos da mão direita sem perceber, o que demonstrava algum nervosismo.

"Ruy, tendência suicida é uma coisa. Problemas e tristeza são coisas bem diferentes."

"Ah, vá!"

Eu estava tremendo, e minha voz, por consequência, também saía da mesma maneira. Dante serviu-me um copo d'água e se levantou para me entregar. Eu bebi e depois respirei pausadamente, obedecendo aos ensinamentos de Marta.

"Me desculpe. Estou nervoso."

"Tudo bem. Seria preocupante se não estivesse", disse, e fez um breve esboço de um sorriso gentil e reconfortante.

"Estou melhor. Obrigado pela água. Pode continuar o seu raciocínio."

"Tem certeza de que está bem?"

"Tenho."

Ele voltou a se sentar. Pediu com as mãos e com o olhar que eu fizesse o mesmo, mas recusei. Ficar de pé me fazia respirar melhor. Continuei ali, ao lado da janela.

"Bem, eu estou querendo lhe explicar que o suicídio é estudado há muito tempo e que tudo o que eu digo tem embasamento teórico e prático. Esses estudos de caso dizem que o suicídio não deve ser ligado exclusivamente a um acontecimento em especial. É necessário compreender de que maneira uma série de motivos se tornam efetivos a ponto de a pessoa questionar sua própria vida."

"Se a vida vale ou não a pena ser vivida..."

"Mais ou menos isso, já que cada pessoa atribui sentido à vida de maneira muito particular. Muitas vezes nós tendemos a achar que o suicídio de uma pessoa como o Pedro parte somente de uma causa ou de causas concretas, e eu acho que é isso que você procura aqui, quando muitas vezes o ato do suicídio é desencadeado por uma série de fatores frequentemente inacessíveis, que podem ter tido início na infância, por exemplo."

"Como o quê?"

"Qualquer coisa. Algo que o marcou de uma maneira que se impregnou nele. Não estou dizendo que seja isso, mas quero que você compreenda que existe um leque de possibilidades para o que aconteceu a ele e a tantas outras pessoas. Por isso as pessoas procuram terapia, para tentar enxergar e entender melhor a si mesmas."

Enquanto Dante falava, um filme cinematográfico do Pedro passava na minha cabeça. Ele era pequeno, bonito e inteligente. Muito inteligente. Desde quando pensar demais se torna um problema?

"Ele te contou sobre a infância dele?"

"Isso é muito comum."

"E o que ele disse?"

Dante se aprumou na poltrona. Torceu um pouco a boca. "Aqui caímos no código de ética da psicologia, Ruy. Proteção à privacidade e respeito e integridade do paciente. Você, como jornalista, sabe disso." "Isso se aplica a um paciente suicida?", interrompi, novamente fazendo crescer a chama da intolerância. "Se aplica. Mas, ao mesmo tempo, compreendo as suas angústias e acho que podemos falar sobre isso sem que eu passe dos limites. O que acha?" "Eu agradeceria."

Novamente ele me convidou a sentar na poltrona à sua frente. Ele devia se sentir melhor assim. Menos inferiorizado ao ter que olhar para o lado ou para cima. Ali era seu território, seu domínio. Respeitei isso e afundei novamente ali.

"Podemos começar, mas sem procurar culpados ou alguma culpa em especial. Lembre-se: estamos em busca de indícios, nuances, particularidades que, muitas vezes, parecem sem importância. Você enxerga algo assim, que lhe chame a atenção de imediato, na infância do Pedro?"

Os psicólogos são mestres em inverter os papéis. Cansei de ver isso em livros e filmes. Em vez de ele me falar sobre a infância do Pedro, o que meu filho pode ter lhe contado, Dante me jogou contra a parede. Queria saber sobre o Pedro através de mim, com as minhas próprias palavras e interpretações. A verdade, entretanto, é que desde a morte do Pedro, eu já fazia essa análise da sua infância para mim mesmo, de alguma maneira.

"Bem, o Pedro foi a nossa segunda tentativa de ter um filho. Na primeira, Marta, minha mulher, teve um aborto espontâneo com quase oito meses de gestação. Foi muito traumático para nós dois. O quarto do bebê estava pronto. Tivemos inclusive de trancá-lo. Nosso casamento quase acabou. Mas seguimos em frente. E daí, quase três anos depois, veio a segunda gravidez..."

Fiquei tanto tempo em silêncio, olhando para a frente, que ele teve de dizer alguma coisa.

"Foi uma gravidez desejada?"

Não sabia o que responder. Fazia sentido abrir intimidades e feridas tão profundas a esse jovem terapeuta que havia acabado de conhecer?

"Não por mim. Eu achava que havia passado o meu momento de ser pai. Mas Marta é bem mais jovem do que eu. Então decidimos seguir adiante."

"Contra a sua vontade?"

"Não. Eu aceitei a decisão dela. Ela já havia abortado uma vez quando era bem mais jovem, muito antes de me conhecer. Acho que ela se sentia culpada de alguma forma."

"E você?"

"Eu na verdade tinha um pouco de pena da Marta. Não queria que ela passasse por aquilo de novo. A minha negação inicial foi exclusivamente por causa disso. Por ela..."

Eu devo ter falado sem muita convicção, pois Dante me analisou friamente e disparou a pergunta.

"Tem certeza de que foi só por ela?"

"Como disse, eu era mais velho, tinha quarenta e cinco anos, talvez o meu momento tivesse mesmo passado. Mas depois tudo mudou. Ficamos bem e felizes com a gravidez. Não vejo isso como um problema..."

Dante ficou me analisando de um jeito que me irritava.

"Não vai dizer nada?", eu disse, com certa rispidez.

"Estou ouvindo."

"Não tem mais nada. Curtimos juntos a gravidez, o Pedro nasceu e fizemos todas as coisas que os pais fazem. Trocamos fraldas, ele aprendeu a andar, a ir ao banheiro, a se vestir, a tomar banho. Brincamos com ele, viajamos, participamos da vida escolar. Coisas normais…"

"Vocês destrancaram o quarto?", ele me interrompeu quando percebeu que eu comecei a generalizar tudo.

"Que quarto?"

"O quarto do outro bebê."

Eu nunca havia refletido com profundidade sobre esse tema, mas ali me vi confrontado.

"Isso vem ao caso?"

"Não sei, talvez."

Fiquei em silêncio. Era estranho pensar nisso depois de mais de trinta anos.

"Bem, Marta quis usar o mesmo quarto. Como não pensávamos mais em ter filhos, era o que havia sobrado. Além do nosso, o outro quarto que temos no apartamento já havia sido transformado em escritório…"

Dante coçou a barba. Estava pensando coisas, mas não dizia nada. Ele devia se regozijar com toda aquela expectativa que gerava. Filho da puta.

"Você acha que Marta pode ter transferido sentimentos do outro bebê para o Pedro?", perguntei.

"Não sei. Só ela pode dizer. Mas é interessante que um trauma como a perda de um bebê não a tenha mobilizado para trocar de quarto…"

"Marta é uma pessoa muito prática. Acho que foi só isso que a mobilizou a permanecer com o mesmo quarto."

"Me fale mais de você e de Marta."

"Como isso pode ajudar?"

"Não se preocupe tanto com o fato de isso ou aquilo poder ajudar a obter respostas."

"Bem, Marta e eu nos amamos. Tivemos nossos problemas, mas estamos juntos há mais de trinta anos. É para poucos…"

"Sim, realmente. E o Pedro?"

"O que é que tem o Pedro?"

"Você acha que ele compartilhava com vocês dessa relação de amor?"

Cada pergunta que esse terapeuta fazia. Quanto será que ele cobrava por uma hora de sessão para perguntar essas obviedades? "Não é óbvio? O Pedro teve uma infância bastante normal. Sem traumas, sem brigas violentas entre seus pais ou separação. Marta e eu sempre fomos muito afinados um com o outro. Além do aspecto sexual, temos uma cumplicidade intelectual bastante forte e sempre respeitamos as opiniões contrárias um do outro."

"É ótimo que os filhos observem esse comportamento nos pais", Dante respondeu, e depois continuou. "Pode me contar um pouco mais sobre o Pedro nesse cotidiano familiar?"

Novamente o filme surgiu na minha cabeça. Entretanto, era engraçado como as lembranças do Pedro em uma certa idade surgiam mais na memória do que em outras. Era o Pedro dos nove, dez, onze anos. Eu o teria abandonado, deixado-o à mercê do mundo depois dessa idade?

"Bem, o Pedro era curioso e, talvez por isso, era um bom leitor. Foi influência nossa, claro. Pedro passou a infância convivendo com nossos amigos, jornalistas, escritores, editores. Provavelmente isso o levou a seus documentários. Aliás, fui eu que dei a ele a sua primeira câmera. Uma VHS. Ele lhe falou sobre isso?"

"Falou sim. Foi algo marcante para ele."

Abri um sorriso tímido depois daquela revelação. Pedro tinha passado bons momentos comigo.

"Inicialmente, ele fazia entrevistas comigo e com Marta. Sobre nossos trabalhos, essas coisas. Depois fez muitas entrevistas com a Ruth, a babá que ele descobriu ser neta de escravos. Dá pra acreditar? A gente nem desconfiava disso. O Pedro se revelou um ótimo repórter aos nove anos de idade. Inacreditável…"

Pensei um pouco mais sobre aquilo, e cheguei a me assustar de verdade com o que veio à minha mente.

"Você acha que o fato de eu ter lhe dado a câmera...?" Não consegui completar a frase. Uma massa de ar travou a minha garganta. De alguma forma, eu já vinha pensando sobre isso, mas covardemente evitava ir mais a fundo.

"A câmera pode ter dado um sentido à vida dele, ainda que precoce. Ele pode ter aberto os olhos para coisas que não enxergava sem a câmera. Já pensou nisso?"

Dante estava querendo abrir uma outra perspectiva sobre o assunto, mas eu só queria ir de encontro ao abismo.

"Ou talvez eu tenha lhe dado o instrumento que fez com que se tornasse consciente deste mundo horrível em que vivemos..."

"Talvez. Estamos falando em suposições. Fale um pouco mais sobre essa época, por favor."

Tive de respirar fundo. Puxar do escafandro da memória imagens da infância de um filho morto era uma tarefa muito dura. Era como segurar sua mão com força e, ainda assim, deixá-lo escapar rumo à escuridão do fundo de um lago.

"Ruy?"

"Desculpe, está sendo difícil..."

Achei que ele fosse me oferecer a caixa de lenços, mas eu não estava chorando. Então ele apenas serviu-me mais um pouco d'água e eu bebi. Era só o tempo de recuperação. Em seguida, continuei:

"Bem, depois que passou a fazer esses filmes caseiros, o Pedro pareceu ficar mais sério, mais introspectivo. Ele costumava ser um garoto mais divertido e extrovertido antes disso. Houve momentos em que me arrependi de ter-lhe dado a câmera, mas depois passei a achar essa fase interessante. Ele estava formando a própria personalidade. Sempre desconfiei de pessoas que sorriem demais, que são felizes demais, que parecem ter uma vida perfeita. Eu achava que o Pedro começava a ter suas próprias ideias sobre o mundo, e a reflexão, muitas vezes, cobra seu preço..."

Como disse aquilo de forma reticente, ele esperou eu continuar, mas me calei.

"E qual seria esse preço, Ruy?"

"Arrogância, decepção com os outros, isolamento, sensação de não pertencer a este mundo..."

Ficamos em silêncio um bom tempo. Eu me afundei naquela poltrona como se fizesse parte dela. Como se aquele couro animal envolvesse minha própria pele e se fundisse em meu corpo.

"Ele falava de mim?", perguntei.

"Naturalmente. Você é o pai dele."

"Era."

Dante outra vez fez aquele olho semicerrado irritante. Ele não percebia o quanto era ridículo analisar as pessoas daquele jeito?

"Estava conversando sobre isso outro dia com um amigo. Não sou como um órfão ou um viúvo, que são denominações atreladas aos mortos. Ao contrário desses casos, não existe pai se não há um filho. Ou seja, se meu filho está morto, eu automaticamente perco o meu título de pai. Quando se matou, Pedro fez isso: me transformou num ex-pai."

Dante pensou bastante antes de falar. Tinha que tomar cuidado com as palavras. Era o trabalho dele. O meu, de outra forma, também era assim.

"É um ponto de vista bastante coerente e interessante filosoficamente. Mas tente, por enquanto, colocar isso apenas como uma consequência do ato do suicídio..."

"Você só fica falando em não culpar ninguém. Então quer dizer que a culpa não existe?", interrompi e perguntei de súbito, meio cansado dessa sua ladainha.

"Sim, existe. Mas, no caso dos suicídios, seria leviano procurar culpados. A atribuição de culpa é o caminho mais fácil para aliviar a dor. O ato final de se matar é o desfecho de um processo de longa data que resulta, muitas vezes, em um impulso repentino. Isso envolve muitos aspectos, coisas a que não damos atenção, conforme lhe disse antes. O fato de você como pai ter lhe dado uma câmera com a qual ele se identificou, sem dúvida, é uma parte importante do processo de desenvolvimento do Pedro como ser humano, artista e intelectual. Não quer dizer exatamente que você foi o responsável por ele enxergar o mundo sob outro viés e, com isso, e com os anos, acabar por se matar. Se você pensar dessa forma, vai sofrer uma dor que não é sua responsabilidade. Se matar é negar um sentido à vida. Você deu ao Pedro uma ferramenta de descoberta dessa vida, e não uma arma..."

Senti uma espécie de vertigem. Não exatamente uma vertigem física, mas uma embriaguez consciente, uma vontade de me atirar no buraco negro logo à frente.

"Posso ir ao banheiro?"

Dante me indicou a porta do banheiro, que ficava numa lacuna da sala em L. Tranquei-me ali, molhei o rosto e sentei na privada. Respirei fundo. Provavelmente eu estava sofrendo de alguma síndrome dos nervos. Depois da morte do Pedro, esses ataques aumentaram e ficaram cada vez mais pesados. Não quis demorar muito ali, por isso tentei acelerar o meu processo de recuperação. Não queria que Dante pensasse que eu estava chorando, quando na verdade eu estava doente. Já entrei na sala falando, antes de me sentar novamente.

"Ele passou semanas filmando um maldito crocodilo no zoológico! Ali eu devia ter percebido que havia algo de errado..."

"Crocodilo?"

"Ele não contou isso?"

"Hum... não", tentou recordar-se. "Nunca mencionou nada sobre filmar um crocodilo. Eu me lembraria."

"Bem, eu levei o Pedro ao zoológico durante semanas, porque pensei que ele ia fazer, como qualquer criança normal, um filme sobre o zoo, os animais africanos, os répteis, os bichos mais estranhos, essas coisas. Mas, logo no primeiro dia, ele descobriu o lago dos crocodilos e, assim que viu um deles, ficou como que hipnotizado. Passava o tempo inteiro filmando só ele, o maior de todos, que devia ser o líder, que jamais se mexia. Sabe aquela história do leão que se esconde e só dorme quando as pessoas querem vê-lo? O crocodilo era pior!"

"E o que mais acontecia?"

"Nada. Ele filmou o animal por horas e horas, durante várias semanas. Um dia, simplesmente se desinteressou e desistiu. Não quis mais ir ao zoo. Não fez nada com o material e foi fazer outros vídeos..."

"Você nunca perguntou a ele o que pretendia ao filmar o crocodilo?"

"Eu?"

"Quem mais?"

Titubeei. Não me lembrava de ter tido qualquer conversa mais profunda sobre esse assunto com o Pedro.

"Sim, claro que eu perguntei. Mas isso já faz quase vinte anos. Ele era evasivo. Dizia que gostava dos crocodilos. Acho que era só isso."

"Tem certeza?"

"Merda! O que mais poderia ser? Você está tentando encontrar respostas nos lugares em que elas não estão!"

Dante me observou novamente com seu olhar analítico silencioso, que eu achava tão clichê que me dava vontade de rir. Na verdade, me dava vontade mesmo de lhe afundar os olhos com meus polegares para que nunca mais me olhasse daquele jeito.

"Ruy, você se surpreenderia com a quantidade de informações relevantes sobre um paciente que se encontram em passagens da vida aparentemente banais."

Resmunguei. E aquela chama da raiva e da ironia voltou a aflorar dentro do meu peito. Uma necessidade insaciável de provocar, mais pela compulsão do que pelo prazer. "Claro que sim! Daqui a pouco vamos falar sobre a mãe dele! Ali acharemos respostas, obviamente!" Dante olhou bem nos meus olhos. Daquela vez, seu olhar foi mais duro e ríspido. Havia um pouco de ironia em sua fala também.

"Infelizmente, o papel da mãe em nossas vidas foi transformado em um clichê ridículo pela ignorância das pessoas, mas é fato que é sempre importante adentrar nessa relação", disse, em contraponto ao meu pensamento anterior.

Dante tinha lá a sua razão ao me incluir no seu rol de ignorantes. Eu me comportava como um velho irascível, sem educação ou formação. Eu não era nem sombra do jornalista renomado que fora. Nosso pequeno entrevero foi amenizado pela barreira de silêncio que se interpôs entre nós. Olhávamos um para o outro, mas parecia haver uma leve bruma à frente. Tentei abrandar o tom da conversa depois disso.

"Eu tenho sonhado com o Pedro quase todos os dias desde que ele morreu. É um sonho só. Sempre igual. E é isso que está me deixando louco. Pedro é criança, deve ter, não sei, seus nove ou dez anos. Nós estamos em um lugar que é uma espécie de floresta, cheia de árvores, mas que tem caminhos de asfalto. Não há mais ninguém no sonho. Só nós dois. E o Pedro está andando sempre um pouco à minha frente, e eu o acompanho distraído, sem me preocupar. Fico falando no celular enquanto ele ri. E logo ele começa a correr como que para brincar comigo, mas o bosque tem curvas e eu passo a achar aquilo um pouco estranho. Então começo a correr atrás dele, que some, uma, duas vezes ao fazer as curvas. Daí o tempo começa a mudar, as árvores a balançar, o céu fica escuro e eu saio correndo desesperadamente atrás do Pedro, mas naquela hora ele não existe mais. Só ouço a sua voz me chamando. Eu sempre acordo aí. É um sonho angustiante... Existe alguma teoria para isso?"

"Bem, não sou especialista em sonhos, mas há estudos sérios e profissionais dedicados a esse tema. Pode ser que o seu sonho conte algo que o esteja angustiando muito ao longo da sua relação com o Pedro. A recorrência fortalece isso. Você atrás do Pedro e o Pedro indo embora..."

"Uma metáfora da morte?"

"Pode ser. Mas pode ser que haja mais. Procure lembrar de mais detalhes."

"Eu tenho a impressão de conhecer aquele lugar, mas não consigo identificá-lo de jeito nenhum. Tentei muito esses dias. Eu também sinto que o Pedro não está indo embora. É estranho, mas tenho a impressão de que ele quer me mostrar alguma coisa. Isso é possível?"

"Como assim?"

"Ele pode estar tentando se comunicar comigo?"

Dante ficou calado, o olhar sóbrio. Eu devia estar ultrapassando o limite entre a psicologia e o desespero de um pai em busca de respostas.

"Você acha que estou louco, não é? O pai que perdeu o filho e imagina que o filho tenta fazer contato através dos sonhos. Você deve estar pensando que daqui a pouco vou ao centro espírita ou ao candomblé..."

"Eu acho que cada um deve procurar a ajuda que lhe for necessária. Se for no centro espírita ou no candomblé, que seja. Não vejo problemas."

"Você sempre tem uma resposta espertinha para tudo, não é, doutor?"

Disse isso e levantei, caminhando novamente em direção à janela e virando depois para ele.

"Então por que não responde essa? Eu descobri que você e o Pedro se comunicavam. Como você mesmo disse que ele parou a terapia há um ano, fico pensando nos motivos por que isso aconteceu. É normal uma relação terapeuta-paciente além das quatro paredes do consultório, depois de um ano da interrupção?"

Dante foi pego de surpresa pela minha indagação nada agradável. Eu me utilizava de recursos escusos para fazê-lo falar. Senti que minha armadilha tinha dado algum resultado pela maneira como ele, até então impassível, se mexeu e ajeitou o corpo na poltrona. Eu exultava por dentro. Uma energia pulsava em minhas veias, uma injeção de adrenalina parecia ter sido aplicada em meu coração. Eu queria destruir aquele seu insuportável olhar blasé.

"Imagino que você deva ter visto as ligações no celular dele, correto?"

"Sim, e sei que você telefonou no dia do suicídio dele. E no dia anterior, e em várias outras oportunidades nos últimos meses! E agora? O que me diz? Hein?"

Falei isso com grosseria desmedida. Ele poderia me expulsar dali naquele momento, se quisesse. Entretanto, aquele rapaz alto, com barba vigorosa e que só disfarçava a casualidade pelo blazer de veludo cotelê clássico marrom, parecia mesmo um profissional coerente e, aparentemente, competente. Ele esperou eu terminar de vociferar e me acalmar para só depois responder.

"Bem, acho que mais do que me acusar de alguma coisa, o que você deseja é obter mais informações ou a verdade sobre a relação profissional que eu tinha com o Pedro. O que posso lhe dizer é que o Pedro fez dois anos de terapia e, como já disse, resolveu interromper o processo sem que eu houvesse lhe dado alta. Embora ele não tivesse qualquer indício patológico que requisitasse a intervenção de um psiquiatra, ou qualquer tendência suicida, como você me perguntou no início da nossa conversa, eu não achava que o momento de ele parar era aquele. O Pedro abordava muitas questões de fundo existencial. Era um rapaz profundamente interessado no sentido das coisas do mundo. Quando estava em meio a um processo de criação de um filme, por exemplo, jamais pensava na repercussão, mas somente no sentido daquilo. Do lado pessoal, falava sobre vocês também de um jeito específico, analítico, procurava sempre enxergar um sentido no trabalho da mãe como editora e escritora e também no seu trabalho como jornalista..."

Enquanto Dante falava, pela primeira vez olhei para aquela poltrona em frente à dele e fiquei imaginando a figura do meu filho ali, sentado com suas roupas habituais e confortáveis, balançando a perna direita para cima e para baixo com velocidade, um tique que tinha desde pequeno. Isso me fez voltar e sentar de novo. Minhas mãos, então, apertaram aquele tecido de couro já esgarçado para ver se sentiam um pouco da vibração do meu filho, mas eu sabia que jamais sentiria aquilo novamente. E talvez o rompimento que senti ali tenha sido a coisa mais importante que me aconteceu naqueles dias.

"... e, então, eu disse ao Pedro que ficasse com o número do meu celular, que ligasse quando julgasse necessário, quando precisasse retornar. Depois de alguns meses ele começou a me telefonar. Disse que queria voltar a fazer terapia, mas estava sem tempo devido ao sucesso do seu último filme, que o fazia viajar muito. Queria muito falar sobre aquele seu momento. Então me perguntou se poderíamos conversar de vez em quando por telefone, como amigos, e eu lhe disse que não era a melhor maneira, que deveríamos manter a relação num âmbito profissional, e lhe reafirmei que estaria sempre de portas abertas quando precisasse, pois ele me parecia um pouco ansioso. Semanas depois, ele telefonou outra vez e falamos brevemente. Não achava justo impedi-lo de retomar o processo terapêutico por causa de alguns telefonemas, embora sempre colocasse uma condição: que ele abrisse espaços em sua agenda para retornar à terapia."

"E o que ele disse?"

"Disse que sim, que faria isso. Falamos algumas vezes por telefone rapidamente, mas ele nunca veio até aqui."

"Dante, sobre o que vocês conversavam? O que afligia o Pedro? Eu estou lhe pedindo como um pai desesperado. Esquece essa merda de código de ética!"

Dante fez uma cara que me deu certa pena. Ele era um profissional, tinha suas regras. Ao mesmo tempo, porém, havia ali, na frente dele, um pai emocionalmente despedaçado lhe pedindo ajuda. Ele estava em dúvida sobre o que fazer.

"Ruy, vai parecer estranho, mas o Pedro só me contava generalidades sobre a vida dele. Da mesma forma que fazia no começo da terapia. Ele precisava de um tempo de adaptação, de falar sobre o nada, para depois seguir em frente. Para ele entrar existencialmente em questões mais profundas com a força necessária, ele teria de vir aqui de novo, coisa que nunca fez."

"Ele estava te pedindo ajuda…"

"Estava. Eu sei disso. Mas não se mostrava desesperado, nada disso. Continuava sóbrio. E eu ofereci a ele qualquer horário que quisesse para vir trabalhar essas questões em uma sessão. Inclusive aos sábados, que não trabalho. Mais que isso eu estaria extrapolando o limite entre terapeuta-paciente."

Ficamos os dois olhando um para o outro. Jamais imaginei que uma sessão de terapia fosse tão desgastante. Ele devia estar no limite com as minhas indagações e provocações. Mesmo assim, eu ainda tinha mais uma a fazer.

"Por que você ligou para o Pedro no dia em que ele se matou?"

Ele se aprumou na poltrona e sugeriu um sorriso e um bufo

pelo nariz. Não queria continuar naquele jogo que eu estava propondo.

"Ruy, eu estava apenas retornando as ligações dele do dia anterior, que não pude atender. Não existe nenhum mistério nisso..."

"Não pôde ou não quis?"

"Não pude", respondeu com firmeza.

Ficamos em um silêncio duradouro. A euforia tinha ido embora havia tempo. Meu corpo agora parecia oco e meu coração um saco plástico gasto e vazio com oxigênio suficiente apenas para não morrer.

"Pedro me convidou para um almoço na semana em que se matou."

"E sobre o que vocês conversaram?"

"Sobre nada. Eu não fui. Esqueci e depois surgiu um imprevisto que tive de resolver no jornal. Liguei cancelando na última hora."

Dante avaliou aquilo e tentou contornar.

"Vocês costumavam almoçar juntos?"

"De vez em quando. Não muito. Ele saía mais com a Marta. Será que ele queria me dizer alguma coisa?"

"Se fosse algo imprescindível ele te ligaria novamente, não?"

"Como posso saber disso agora?"

Dante não conseguiu dizer nada. Continuei:

"Foi a última vez que falei com meu filho. Cancelando um almoço."

Por um milésimo de segundo, Dante desviou o olhar para baixo com alguma piedade, ao ouvir aquilo. Era deprimente e muito triste terminar um relacionamento com o filho dessa maneira.

"Ruy, eu recomendo a você que procure ajuda profissional. É uma questão de saúde. O seu nervosismo e a sua ansiedade estão bem aflorados. Se quiser, eu mesmo posso lhe indicar alguém, se for o caso."

"Para quê? Para que eu possa falar sobre minhas angústias, me analisar e depois me atirar pela janela?"

Ele sacudiu a cabeça negativamente.

"Você sabe que não é assim. É um homem inteligente..."

Curvei o corpo para a frente e coloquei as mãos sobre a cabeça baixa. Eu estava tremendo. Tentei ser racional.

"Me desculpe. Estou sendo um idiota arrogante."

"Tudo bem..."

"Faz parte do seu trabalho aguentar pessoas como eu, não é?"

Pela primeira vez ele sorriu timidamente e balançou a cabeça. Naquele pouco tempo em que estive ali, percebi que Dante era um rapaz muito capaz e profissional. Tinha idade para ser meu filho. O irmão mais velho abortado que o Pedro nunca teve.

DIA 6

Eu havia passado mais uma noite no apartamento do Pedro quando fui acordado com o som do seu celular tocando. Na verdade, eu estava naquele estado inconsciente de vigília, entre sonhos, já que ficara pensando o tempo todo nos detalhes da conversa tensa e reveladora que tivera no dia anterior com Dante Gullar. Entretanto, ao segurar o aparelho na mão, vi que a chamada era de Marta e despertei em um sobressalto. Fiquei sem saber o que fazer. Não sabia se ela tinha conhecimento de que eu estava dormindo no apartamento do nosso filho, já que havia sumido de casa desde o dia do hospital. O porteiro me avisara que Thomaz também estava atrás de mim e ficara duas horas me esperando na tarde do dia anterior quando saí para encontrar Clara, Jorge e Dante. Era óbvio que Thomaz tinha contado a ela. Em um impulso, decidi atender.

"Oi, Marta…"

"Ruy, o que você está fazendo aí?", ela disse de imediato.

"Bem, alguém precisava vir dar um jeito nas coisas do Pedro…"

Durante aquele bloco de silêncio, eu quase pude ver o rosto transfigurado e cheio de dúvidas de Marta bem ali na minha frente.

"Marta?", continuei.

"Por que você está usando o telefone dele?"

Nesse momento entendi o seu constrangimento. Marta deve ter imaginado que, com o telefone em mãos, eu já devia estar a par dos seus envios de mensagem pós-morte ao Pedro.

"Marta, precisamos conversar...", disse, e novamente ela fez silêncio. "Quer que eu vá para a nossa casa? Marta?"

"Não, Ruy. Não precisa vir. Eu estou indo para aí."

E desligou.

Quando Marta chegou, eu estava do lado de fora do prédio, esperando. Envergonhado, eu havia tomado um banho demorado, escovado os dentes, me penteado e feito toda a higiene que não fizera durante aqueles dias. Entretanto tinha decidido não me barbear. Usei uma barba robusta até os meus cinquenta e poucos anos, quando uma máscara uniforme de pelos brancos começou a inundar meu rosto e eu me senti incomodado com o alvorecer da velhice. Isso, porém, já não fazia nenhum sentido naquela altura da vida. Também fui obrigado a vestir umas roupas do Pedro, já que as minhas estavam em um estado lastimável e foram parar no lixo.

Marta me olhou de cima a baixo. Mesmo por trás de seus óculos de sol pude perceber seu estranhamento. Eu trajava uma calça esgarçada cinza de ginástica, tênis e uma camiseta branca. Pedro e eu tínhamos o mesmo biótipo e eu havia emagrecido muito nessa última semana, o que fazia com que suas roupas me servissem facilmente.

"Você está estranho com essas roupas do Pedro…"

"É, eu sei. Quem sabe eu não adote esse visual daqui para a frente? Pode ser que eu tenha cansado de ternos e gravatas..." Disse aquilo para descontrair, mas Marta não riu. Tinha a impressão de que Marta jamais voltaria a rir.

"Está pensando em se aposentar?"

Essa era uma palavra dura demais para qualquer pessoa. Principalmente para alguém que considerava o trabalho não apenas um meio de viver, um ganha-pão, mas também um motivo, um alicerce da vida.

"Digamos que tenho pensado em assumir definitivamente algumas coisas. A primeira é que o jornal não precisa mais de mim..."

Nós dois ficamos nos olhando em mais uma manhã cheia de sol, e isso me pareceu bom sinal. De alguma forma aquilo me energizou. O banho. Marta. O sol. Nenhum de nós sabia o que dizer ao outro, mas aos poucos isso já não importava mais. A única coisa que nos interessava era descobrir como seria a nossa vida a partir dali, depois da morte do nosso filho.

Era difícil para mim, que caminhava para a reta final da vida, encontrar motivação. Havia compreendido àquela altura que, após décadas de dedicação ao trabalho, eu era apenas um suvenir no jornal, uma marca, um símbolo para mostrar aos mais jovens como o jornalismo havia sido um dia. Mas era só isso. Eu não tinha mais nenhum papel decisivo ali.

Se Pedro tivesse tido tempo ou querido ter filhos, eu poderia ter sido um bom avô. Talvez melhor avô do que pai. O avô contador de histórias, que foi preso na ditadura militar, o exilado político, o jornalista que deu alguns dos maiores furos de reportagem deste país, que abandonou o terno e a gravata pelas roupas casuais para se dedicar a cuidar dos netos. Infelizmente isso nunca aconteceria, embora fosse de uma hipocrisia sem tamanho eu, que nunca tive o ímpeto da paternidade, esperar isso do meu filho. Eu tinha que achar outras motivações se quisesse continuar vivendo.

Eu poderia cuidar da Marta. Me dedicar mais a ela. Mas eu tinha a impressão de que a Marta, assim como o jornal, também não precisava mais de mim. Uma coisa que me assombrava muito era o fato de Marta, aos sessenta e um anos, ainda ser uma mulher atraente. Não raras vezes pensara que, se conhecesse um homem um pouco mais jovem que ela, Marta teria prazeres na vida que eu não era mais capaz de lhe dar. Tinha convicção de que ela rejuvenesceria aos olhos do mundo e talvez até voltasse a sorrir, enquanto eu caminhava a passos largos de encontro ao fim, envelhecido e dopado pelos excessos que permearam toda a minha vida. Eu era ali o que sempre fora: um sobrevivente. Mas havia um porém. Esse sobrevivente estava terrivelmente cansado.

E quais seriam as motivações de Marta para continuar a suportar o fato de estar viva? Possivelmente o trabalho. Marta era obcecada pelo trabalho. Ela amava o que fazia e a dedicação em tempo integral poderia anestesiá-la pelo menos até a hora de colocar a cabeça no travesseiro. Eu supunha também que havia o seu trabalho como escritora, um segredo dela e do Pedro, sobre o qual ela nunca me falara. Quem sabe, um dia, Marta não escrevesse de uma maneira bonita, dura e sincera sobre nós e sobre tudo o que nos aconteceu?

"Ligaram várias vezes do Departamento de Trânsito. O seu carro foi guinchado há cinco dias."

Pensei em perguntar à Marta o local onde o carro fora guinchado, mas desisti. Apenas meneei a cabeça confirmando. O lugar onde eu havia me embriagado durante o velório e a cremação do meu filho era a última coisa da qual eu queria lembrar.

"Acharam o seu celular também. E a sua carteira com seus documentos, cartões e algum dinheiro. Tudo dentro do carro. Ruy, como você está se virando? Você tem comido? Parece que você emagreceu dez quilos...", ela disse, aparentando estar mesmo preocupada, embora estivesse do mesmo jeito.

"Eu... bem, eu peguei um dinheiro emprestado..." Eu titubeei um pouco, o que foi suficiente para Marta me desmascarar.

"Eu falei com o Thomaz. Ele me disse que você roubou todo o dinheiro da carteira dele e que está descontrolado, indo atrás das pessoas! O Jorge me ligou preocupado com você. Soube também que você foi falar com a Clara. O que está havendo, Ruy?"

"Estou tentando montar um quebra-cabeça", falei um pouco baixo, envergonhado, já ciente de que ninguém compreenderia minhas intenções.

"Ruy..."

"Estou tentando entender o que passou na cabeça do Pedro antes de ele tomar essa decisão estúpida. Por isso falei com eles primeiro, que eram os mais próximos. Depois..."

"Ruy, isso não é uma apuração jornalística!", Marta me cortou com potência na voz, o que me fez reagir.

"Ah, não? Você sabia que o Pedro fez terapia durante dois anos com um sujeito chamado Dante Gullar?", disse, querendo provar à Marta minha capacidade investigativa, cujas informações dariam embasamento às minhas ideias.

Marta, naquela hora, tirou os óculos escuros do rosto pela primeira vez desde que chegara. Acho que não havia mais lágrimas dentro do corpo dela para lhe amaciar a carne, pois seu rosto estava duro, seco, ossudo.

"Sim, Ruy, eu sabia..."

Paralisei, estupefato. As órbitas dos meus olhos se ampliaram e eu arfei um pouco. Era incrível que, por mais que você fizesse parte de um círculo familiar, mesmo um pequeno círculo familiar como o nosso, sempre haveria espaço para as pequenas mentiras e omissões.

"Como é que eu nunca soube disso?", falei alto, com a voz um pouco estremecida.

Marta, porém, não amenizou, e foi dura comigo.

"E eu por acaso sei de tudo o que você já fez na sua vida?"

"Não, mas isso era importante que eu soubesse!", falei, dessa vez mais agressivo.

"Importante por quê? Faria você se aproximar do seu filho e conversar seriamente sobre o processo terapêutico dele ou tudo se resumiria a mais uma de suas 'tiradas' irônicas e preconceituosas? Você acha mesmo que adiantaria alguma coisa, Ruy?"

Daí ela se calou e eu também resolvi ficar calado. Marta tinha razão. Não mudaria nada eu saber que o Pedro estava fazendo terapia. Talvez eu mesmo não o levasse a sério. Além do mais, meu filho era muito reservado. E já era um adulto. Se ele jamais quisesse me contar sobre os dilemas que discutia entre quatro paredes com seu analista, era um direito dele. Eu tinha que compreender.

"Vamos subir e resolver isso de uma vez?"

Marta disse aquilo de maneira surpreendente, e entrou no edifício assim que o porteiro abriu a porta de entrada. Entretanto, ao adentrarmos o hall, ficou claro que aquilo estava sendo muito difícil para ela. Marta ficou em silêncio todo o tempo em que esperávamos o elevador.

"Você está chateada com o vídeo que fizeram de mim?"

Ela nem olhou para mim, mas respondeu.

"Não estou mais. O cara que fez isso com você foi um canalha. Você não teve culpa daquilo…"

Não falei nada para Marta, mas naquele momento ela tirou o peso de um caminhão das minhas costas. Se ela entendia que aquele havia sido um momento de fraqueza, estava tudo bem. A mim não interessava a opinião de mais ninguém.

Quando o elevador chegou, a subida ao décimo primeiro

andar naqueles poucos segundos constrangedores deve ter feito com que Marta pensasse na queda do Pedro pelos mesmos onze andares. Era inevitável. Eu pensava naquilo toda vez que subia naquele elevador. Marta olhava fixamente para o pequeno vão da porta quando disse:

"Ruy, não fala nada, está bem?"

Tive vontade de abraçá-la, de tê-la em meus braços e oferecer-lhe o meu colo, mas o máximo que consegui fazer foi encostar a minha mão na dela, arriscando segurá-la depois de um tempo. Eu amava Marta mais do que qualquer coisa neste mundo. No começo de tudo, mais até do que Pedro, o filho que eu rejeitei durante nove meses e que só fui aprender a amar dolorosamente depois de conhecê-lo, dia após dia. Teria o Pedro percebido a minha rejeição?

No corredor do andar, fomos caminhando devagar e em silêncio até chegarmos à frente do apartamento. Achei que Marta fosse ter alguma espécie de dificuldade, um bloqueio físico como eu tive da primeira vez que fui até lá, mas ela me surpreendeu e entrou assim que eu abri a porta. Não havia nenhuma dúvida de que Marta era muito mais forte do que eu.

"Está como ele deixou. Não mexi em quase nada. Comi umas torradas, fiz um café. Só hoje dormi na cama dele...", disse, mas omiti o fato de haver fechado a janela e as persianas da sala no primeiro dia.

"E vestiu as roupas dele...", ela disse e, pela primeira vez desde que nos encontramos no IML, vi Marta esboçar um sorriso, ainda que tímido.

Quando entramos na sala, a primeira coisa que ela fez foi caminhar na direção do vaso com a pequena árvore, que cada vez que eu olhava me parecia maior. Marta agachou e, com suas mãos suaves, tocou no tronco forte e as elevou até os galhos que se formavam. Olhou bem as raízes através do vaso de vidro, que era bastante grande. Em relação à Marta, a árvore do Pedro era enorme.

"Ela precisa sair do vaso e ser plantada na terra. Senão vai morrer…"

"Podemos fazer isso. É uma bela árvore."

"É mais que isso", disse, e voltou o olhar na minha direção. "Você sabe que árvore é essa?"

"Não faço ideia."

"É uma sequoia. Uma árvore californiana. Fui eu que dei de presente ao Pedro pouco depois de ele mudar para cá. Faz parte da família das árvores gigantes. Você sabia que árvores como essa podem ultrapassar os cem metros de altura? E que o tronco pode chegar a doze metros de diâmetro?"

Eu apenas balancei a cabeça negativamente, mas Marta nem prestou atenção, continuando.

"Pedro cuidou muito bem dela. Está bonita, forte. Olha essas raízes. Essas árvores vivem séculos, sabia?"

Marta, então, se desvencilhou da planta, levantou e deu uma boa olhada ao redor da sala, que não era grande. A janela e a cortina continuavam do mesmo jeito que eu as havia deixado e Marta, enfim, pareceu notar. Nesse momento ela me olhou de uma maneira que pareceu agradecimento.

Marta nem se aproximou daquela parte da sala. Em seguida, fomos ao quarto do Pedro e ela passou a examinar o painel pendurado na parede. Observou tudo com atenção, mas se fixou na lista de lugares.

"E essa lista?"

"Ele e a Clara que fizeram…"

Marta tirou o alfinete do painel e ficou com o pedaço de papel na mão.

"Ele não foi a nenhum desses lugares…"

"Achei que ele tivesse ido a Machu Picchu…"

"Não foi, não…"

"Talvez ele e a Clara fizessem essas viagens algum dia…"

Marta não respondeu, dobrou o papel pardo com muito esmero e o guardou em um compartimento em sua bolsa. Depois relaxou e sentou na beira da cama. Era ali que Marta iria desabar, pensei. Sentei ao seu lado e ela pegou a minha mão. A mão dela estava gelada. Devia estar sofrendo dos nervos, como eu. Logo, descemos nossos corpos, nos deitamos e ficamos encarando longamente o teto branco e a rachadura que o cortava de ponta a ponta.

"Não adianta. Sempre vão existir essas rachaduras…"

"Sempre…"

Fechamos os olhos e acho até que cochilamos.

Marta viera preparada e trazia vários invólucros de plástico fechados a vácuo para as roupas, além de caixas de papelão para os objetos, que subimos com a ajuda do porteiro do edifício. Fomos relativamente rápidos ao ensacar todas as roupas do Pedro. Vez ou outra, porém, flagrei Marta apertando e cheirando uma camisa dele, dessas que usamos com mais frequência e que se tornam quase uma marca pessoal. Eu disfarçava e fingia não notar, pois ela tinha todo o direito de fazer aquilo sem ser interrompida. Depois guardamos nas caixas os livros, os pôsteres enquadrados e alguns bibelôs. Tudo o que era possível transportar por conta própria nós colocamos ali. Faltavam somente os móveis, os aparelhos elétricos e eletrônicos e os filmes que estavam no móvel da sala e que, propositadamente, deixamos para o final. Havia também os troféus. E dentre eles, os dois mais cobiçados que Pedro havia ganhado no último ano e que também estavam nesse mesmo móvel bagunçado. Pedro era um homem simples e minimalista. Não possuía muitas coisas. Se tivesse um filho, o coitado não iria levar nada na herança. Seu legado era o material de estudo e sua obra. Artistas, em geral, levam a vida assim.

Depois de fazer tudo isso sem interrupções, estávamos com calor e com muita sede. A água do filtro, porém, no calor que estava fazendo aquele dia, saía morna, e eu havia me esquecido de encher as garrafas da geladeira. Lembrei das cervejas. As que eu havia decidido não beber depois daqueles terríveis dois dias de ressaca. Mas ali eu estava me sentindo bem. Era como se um sopro de ar quente entrasse no meu corpo e, de alguma forma, me reconfortasse. Então abri a geladeira e ofereci uma a Marta, que logo aceitou.

Foi quando resolvi colocar as cervejas que sobraram para gelarem um pouco mais no congelador que percebi um pequeno volume envolto por papel-alumínio na lateral da porta. Apanhei-o por curiosidade, já sabendo o que iria encontrar. Abri o invólucro e mostrei à Marta, que esboçou um sorriso pela segunda vez. Uma faísca de cumplicidade surgiu entre nós, nesse pequeno intervalo de tempo em que olhamos um para o outro, antes de ela dizer:

"O que você está esperando? Faz um pra gente..."

Foi como uma viagem no tempo que durou apenas um segundo. Marta me olhou de um jeito que parecia a Marta de vinte e seis anos, quando a conheci. Aquela repórter destemida de cabelos negros, pele morena, olhos escuros e nariz adunco árabe, que chegava causando furor por onde passava com sua beleza, inteligência e personalidade tão forte e marcante que a maioria confundia com prepotência. Como alguém podia ser assim tão completa?

Marta disse aquilo de uma maneira muito natural, como era antes do Pedro nascer, e depois foi até a sala para encaixotar o resto das coisas. Já eu fiquei ali parado, pensando que a vida era mesmo muito inverossímil. Quando eu iria imaginar que eu e Marta, aos setenta e três e sessenta e um anos de idade, respectivamente, depois de décadas, ainda iríamos fumar um baseado juntos novamente? Talvez essa fosse a única parte boa dos momentos difíceis: uma pequena migalha de alegria como essa podia fazer a vida ainda valer a pena.

Lembro que depois do nascimento do Pedro as coisas mudaram muito entre mim e Marta. A rotina com um bebê dentro de casa aos poucos se transforma na sua rotina. As coisas que você fazia, você vai aos poucos deixando de fazer. Você não consegue mais conversar com sua mulher sobre os mais diversos assuntos sem ser interrompido. Não consegue mais fumar dentro de casa. Não consegue parar um momento, deitar no sofá e ler um livro ou ver um filme ou escutar música. Você já não consegue transar, pois o sexo fica protocolar e menos importante. E quando acontece, parece que você é culpado por emitir qualquer ruído pós-gozo durante o sono do bebê. Também não consegue mais ir ao cinema. Ou a festas. Ou a jantares. Não pode mais flertar ou aceitar o flerte, pois agora, além de casado, você é pai e tem um bebê em casa. Você já não consegue nem ao menos ir a happy hours com os amigos no fim do expediente e beber sem preocupações, ou sem que pese a consciência. E, então, quando você percebe, sua individualidade e seus momentos de solidão já não existem mais, e todo o seu tempo está exclusivamente comprometido para fazer todas as coisas que envolvem o universo do seu filho. Limpar o cocô, lavar os lençóis sujos de urina, dar banho, trocar a fralda, medir a febre, comprar remédios, levá-lo ao pediatra, amamentá-lo, alimentá-lo, distraí-lo, brincar com ele, levá-lo para passear, fazê-lo sorrir, ensiná-lo a andar, falar sobre coisas que ele nunca entenderá.

Entretanto, nada disso era culpa do Pedro. Fui eu que demorei a compreender que essas coisas todas simplesmente faziam parte da vida. Que havia coisas além do meu próprio universo. Que havia coisas a serem aprendidas mesmo depois dos meus quarenta e cinco anos. E que, estranhamente, também fazia parte da vida estarmos juntos, vinte e oito anos mais tarde, no apartamento onde nosso filho havia decidido morrer, embalando suas coisas e tentando, com isso, embalar também, nem que fosse por alguns momentos, a dor que sentíamos.

Quando terminei de enrolar o baseado improvisado com um pedaço de papel de saco de pão, fui até a sala e vi Marta agachada na frente do móvel baixo, com a tevê ligada.

"Ruy, me ajuda com isso."

Quando conectei o cabo que estava solto na parte traseira da tevê, Marta já tinha apanhado um dos muitos DVDs espalhados pelo tapete da sala e colocado no aparelho. Pelo que pude notar ao observar algumas das etiquetas nas caixas, Pedro havia convertido todo o seu acervo de VHS para DVD, o que garantiria mais tempo de vida útil aos seus primeiros vídeos.

Acendi o baseado e o gosto e o cheiro de fumaça me fizeram ter um tremendo déjà-vu. Uma embriaguez estúpida e sem sentido tomou conta do meu corpo, e eu parecia levitar. Aquilo era muito melhor do que álcool. Dei duas tragadas fortes e o passei a Marta, exatamente quando minha imagem surgiu na tevê. Eu tinha cinquenta e poucos anos na ocasião, mas de modo estranho me vi jovem ali. É engraçado como tudo na vida é uma questão de referência. Lá estava eu, com uma barba viçosa ainda não tomada de todo pelos fios brancos e cabelos timidamente longos e despenteados, falando sobre a minha profissão para meu filho de nove anos.

Eu me lembrava bem desse dia. Era um domingo e o Pedro foi até a nossa cama com a câmera ligada e nos acordou dizendo que tinha uma ideia para o seu primeiro filme. O dia todo foi assim: respondemos suas perguntas sobre nossas profissões na cama, na mesa do café da manhã, na sala lendo o jornal, fazendo o almoço, vendo trechos de uma partida de futebol na televisão, durante o jantar. Passamos o domingo inteiro assim. Juntos. Inseparáveis.

* * *

"Papai, o que é uma boa reportagem para você?"

"Nossa, Pedrinho, pergunta boa e muito difícil. Mas vamos lá. Pra começar, existem vários tipos de reportagem. Em todas elas, porém, os fatos serão sempre a coisa mais importante, porque a primeira função de um texto jornalístico é informar as pessoas. Só que uma boa reportagem não é feita apenas de fatos. É preciso humanizar o que se diz ao leitor. Afinal não somos máquinas. Sentimos as coisas. Por isso, os entrevistados são fundamentais. E é preciso senti-los, entendê-los, fazê-los falar mais do que eles acham que podem. Os personagens de uma matéria jornalística serão sempre o coração e a alma da reportagem. Exatamente como você está fazendo aqui. Você nos acompanhou o dia inteiro. A vida inteira, aliás. Você nos conhece. É como uma investigação. O bom repórter faz isso: enxerga além do que está vendo com seus olhos."

"Mamãe, o que é um bom livro para você?"

"Ah, um bom livro... Dá a impressão de ser algo bastante complicado, mas acho que é mais simples do que parece, Pedro. A verdade é que as pessoas adoram construir muros entre os mais diversos tipos de livros, dizer o que é bom e o que é ruim, mas, para mim, um bom livro é simplesmente aquele que a gente lê e no final se sente tocado de alguma forma. Tanto quanto te fazer pensar, o bom livro te faz sentir. Pode ser um sentimento bom, ruim ou algo diferente, como um incômodo ou uma provocação, meio sem explicação. Se você sai ileso ao fim de um livro, talvez ele, enfim, não seja um bom livro. Agora, se você, ao terminar um livro, sente algum tipo de transformação, por mais estranha e indecifrável que possa parecer naquele momento, aí, sim, talvez ele entre definitivamente na lista das leituras da sua vida..."

O vídeo congelava no rosto de Marta, que tinha os olhos brilhantes de orgulho do filho e um sorriso maternal de profunda felicidade e gratidão, expressões que jamais voltarão a se repetir.

Marta e eu choramos juntos pela primeira vez desde a morte do Pedro. Mas não só choramos. Rimos muito também das coisas que o Pedro falava em alguns poucos vídeos nos quais ele se deixava filmar. Essa mesma criança que cresceu e se tornou o talentoso Pedro que decidiu se suicidar, e pelo qual estávamos ali juntos, no limiar entre a loucura e a lucidez, decidindo, sem mesmo compreender, o que seria de nós caso houvesse um futuro a seguir.

Passamos o dia todo vendo uma retrospectiva do nosso filho através dos seus próprios vídeos. Revimos também os últimos dois filmes do Pedro, que o alçaram à condição de promessa consolidada. O primeiro, intitulado *Obsoletos*, um documentário sobre profissões que desapareceram devido ao crescimento acelerado do mercado e cujos profissionais tiveram graves problemas de readaptação na sociedade, fez um sucesso muito grande de público e crítica. Não havia quem não se emocionasse com a pesquisa e as entrevistas que Pedro fizera com relojoeiros, projetistas e lanterninhas de cinema, alfaiates, telefonistas, cobradores de ônibus, técnicos eletrônicos, vendedores de enciclopédias, amoladores, entre outros. Formidável montador e econômico na linguagem sóbria de suas câmeras, Pedro era considerado pela crítica um exímio entrevistador que conseguia atingir a gênese de cada um de seus personagens. O filme rodou o mundo, ganhou alguns prêmios e o tornou conhecido, até que ele, três anos depois, lançou *Todos os homens do mundo*. O documentário sobre as histórias de vida de vários moradores de rua vivendo em bairros diferentes da cidade através de um olhar profundamente antropológico e humano o levou ao auge. O filme ganhou os prêmios do júri em Cannes e da crítica em Berlim, o que agitou bastante a vida do Pedro. Teria meu filho contado histórias tristes demais?

"Você sabia que o Pedro dormia na rua com os moradores que foram os personagens do filme?"

Marta se surpreendeu, mas não deixou transparecer. Talvez só não imaginasse que Pedro guardasse dela segredos como esse. Eu continuei:

"Ele volta e meia ficava na rua conversando com os moradores aqui do bairro, que foi onde teve a ideia e começou o filme. Levava comida para eles. Sabia das coisas que eles gostavam. Dava travesseiros. Dormia sobre papelões dobrados..."

"Como você soube disso?", ela me interrompeu.

"Bem, Marta, eu só fiz o que sempre fiz a vida toda: fui atrás das pessoas e conversei com elas. E elas me contaram essas coisas..."

Marta apertou meu braço, mas não chorou.

"Nosso filho era foda, Ruy..."

Marta estava certa. Ele era mesmo.

Até que chegamos aos vídeos do crocodilo. Por qual motivo Pedro guardara aqueles vídeos e os migrara para uma mídia mais moderna, para mim, será sempre um mistério. Não havia nada ali. Foram vários fins de semana indo ao zoológico da cidade para que Pedro satisfizesse sua curiosidade ou atração por aquele animal milenar.

Disse a Marta que eu tinha um certo incômodo em relação àqueles vídeos, mas ela mesmo assim quis vê-los, pois nessa fase do zoológico ela estava ocupada com um de seus projetos editoriais e não participara desses momentos. Era sempre eu a levá-lo.

Então para mim não havia novidade. Era o mesmo grupo de crocodilos de sempre. O líder, o maior e mais monstruoso, nunca se movimentava, ao contrário dos outros, que eventualmente nadavam ou mexiam o corpo ou a cauda.

No entanto, uma coisa me surpreendeu no início do vídeo. Possivelmente algo banal para mim à época e que, por isso, havia ficado escamoteado nas profundezas da memória.

Em uma das vezes, Pedro também havia filmado nosso trajeto até o lago. Era um caminho sinuoso de ruas de concreto estreitas, cheio de curvas fechadas em meio a uma mata densa e escura, que nos levava até o lago. Era exatamente como no sonho. Eu conhecia aquele lugar. Seria isso o que Dante estava querendo me dizer? Sobre as pequenas coisas, as entrelinhas e o banal estarem ligados a fatores emocionais importantes? Pedro e eu estaríamos conectados de alguma maneira, ainda que pela memória? E por que ele se afastava de mim ao mesmo tempo que me chamava?

As imagens daquele monstro, meio réptil meio dinossauro, com seus olhos amarelados sobre a superfície do lago onde todos os outros estavam era insuportável para mim. Eu acelerava a imagem pelo controle remoto e nada parecia mudar. Lá estava ele, o imenso e aterrador crocodilo. O maior de todos. O descendente de uma linhagem de cinquenta e cinco milhões de anos.

Por que aquele animal deixava Pedro fascinado e a mim incomodado se ele nem ao menos se dava ao trabalho de aparecer?

Seria isso, afinal, o que nunca pude compreender?

Seria aquele animal o sujeito oculto da vida do Pedro? O seu *Doppelgänger*? O personagem da vida real que o perseguia em sonhos e não o deixava se revelar por inteiro?

"Ruy, vamos para casa…"

DIA 7

A missa de sétimo dia da morte do Pedro simplesmente não ia acontecer. Embora tivesse sido uma decisão unilateral, exclusiva de Marta, já que eu desaparecera a semana toda, não me incomodei e até achei coerente.

Marta explicou que seria uma hipocrisia usarmos a Igreja no ato final do Pedro, ainda que houvesse argumentações contrárias, sobretudo por parte de sua família, que já havia providenciado um padre para a cerimônia de cremação sem que ela concordasse plenamente. Dessa vez, porém, Marta não voltou atrás.

Ela decidiu então que faríamos uma cerimônia simples, só para amigos e familiares de fato próximos, na nossa própria casa. Queria evitar, com isso, o excesso de bisbilhoteiros que tinha tomado conta do velório. Também não haveria representantes ecumênicos. Seríamos nós mesmos a dizer algumas palavras. E deixaríamos aberto o espaço a todos que quisessem falar. A ideia era recordar e celebrar os vinte e oito anos de vida do Pedro. Tentaríamos, dessa forma, conversar naturalmente sobre sua morte, sem tabus. Como amigos e pessoas esclarecidas que éramos.

* * *

Ao chegarmos da casa do Pedro na noite anterior, descobri que a urna com as cinzas dele sempre estivera em cima do criado-mudo de Marta. Somente naquele momento entendi o motivo de tê-la visto deitada de lado algumas vezes, sem que eu pudesse ver seu rosto. Eu não tinha nada a ver com aquilo. Ela não estava me dando as costas. Marta simplesmente queria ficar bem próxima do que Pedro havia sido um dia. Isso me provocou um fiapo de felicidade e de esperança de que pudéssemos, talvez, seguir em frente.

"Você tem alguma ideia do que fazer com as cinzas?", perguntei.

"Não…"

"Vai querer ficar com elas?"

Ela silenciou. Olhou fixamente para aquela urna de bronze como se estivesse olhando para o próprio Pedro.

"Marta?"

"Acho que não mais…"

Segurei sua mão com força. Tudo o que eu queria naquele momento era, enfim, tomar alguma atitude em relação àquilo tudo.

"Então, talvez eu tenha uma ideia…"

Acordamos cedo naquela manhã e ficamos apenas deitados na cama, sem fazer nada. Afinal, tínhamos a intimidade dos anos para isso. Entretanto, naquele momento, sem que eu percebesse, algo aconteceu.

O fato é que eu fiquei instintivamente muito excitado ao imaginar o corpo nu de Marta deitado ao meu lado, e logo pensei em sexo. Na hora, porém, senti uma culpa dilacerante e fiquei muito envergonhado por aquilo ter acontecido, naquela situação. Afinal, havíamos acabado de perder um filho.

Marta, porém, logo notou a minha indisfarçável ereção e, em um rompante que me surpreendeu, subiu em cima de mim, encaixou seu sexo no meu e depois de um tempo que eu desejava que não terminasse nunca, me disse bem baixinho com os olhos fechados e úmidos:

"Eu te amo, Ruy."

Thomaz e eu parecíamos dois idiotas incompetentes carregando aquela pequena árvore que devia pesar uma tonelada. Quando conseguimos levá-la até o elevador, outro suplício nos aguardava: sua altura incompatível, além da sujeira que as raízes cheias de terra, mesmo em parte ensacadas, fizeram por todo o trajeto do apartamento do Pedro até a saída. Enfim, todos sujos de terra e suor, além de superficialmente arranhados pelos galhos que tivemos de dobrar para conseguir entrar e sair do elevador, conseguimos tirar a sequoia do prédio.

Estávamos tão exaustos que Marta, Thomaz e eu sentamos nos degraus da entrada do edifício e ficamos nos abanando de maneira ridícula com as mãos, tamanho o calor que fazia. Depois olhamos um para a cara do outro e, sem que pudéssemos evitar, sorrimos brevemente, um sorriso que não tinha culpa de existir, que era apenas reflexo dos sentimentos bons de nossa amizade.

Logo o porteiro apareceu com uma garrafa de água e copos, e depois nos ajudou a colocar a sequoia na traseira da caminhonete. Quando terminamos, meio sem jeito, dei um abraço forte nele, pedi desculpas e agradeci por tudo. Pessoas assim, como aquele porteiro, existiam em cada canto; eu que deixara de observá-las. Depois, ajeitamos a árvore da melhor forma possível e entramos na cabine simples do veículo do meu amigo. Thomaz dirigia, Marta foi no meio e eu na janela. Éramos amigos havia mais de trinta anos.

"Tem certeza de que vai dar certo, Thomaz?", perguntou Marta.

"Acho que sim...", respondeu.

Enquanto cruzávamos parte da cidade, ficamos os três em silêncio. Acho que Marta e eu sabíamos que aquele seria o ato definitivo em que cortaríamos os laços de uma vez, não com as memórias que teríamos do Pedro para sempre, mas com a morte dele.

Thomaz era a pessoa mais bem relacionada do jornal. Por isso fiz esse pedido a ele. Se Thomaz não conseguisse, ninguém mais seria capaz de fazê-lo. Se ele não conhecesse a pessoa com quem deveríamos falar, com certeza conhecia os caminhos que nos fariam chegar de qualquer forma ao nosso objetivo. Por esse motivo, não tivemos nenhuma dificuldade em entrar com a sequoia no zoológico da cidade. Thomaz pedira um favor ao chefe da assessoria de imprensa da instituição, que entrou em contato com os responsáveis técnicos, os quais não viram problema naquilo.

"O que você falou para eles?"

"Nada de mais, Ruy. Só a verdade..."

Quando entramos no local, tive novamente uma incrível sensação de déjà-vu, ainda mais poderosa do que quando assistimos ao vídeo. Ao mesmo tempo, porém, senti que mais uma crise de ansiedade se aproximava. Chegar ali era como estar dentro do sonho. O sonho que me perseguia desde o dia do velório e que, de alguma forma, mesmo sufocante, ainda assim era um sonho bom para mim, pois me colocava mais uma vez em contato com meu filho morto. Fazia quase vinte anos que eu não entrava naquele lugar. A última vez havia sido quando Pedro desistira do seu crocodilo e nunca mais quisera voltar.

Thomaz teve de parar a caminhonete um momento para que eu pudesse descer e respirar. Meu amigo me segurou com força enquanto Marta me ajudava com a respiração compassada. Ambos tinham expressões de extrema preocupação no rosto. Contei a eles que comecei a ter essas crises mais violentas depois de ir ao apartamento do Pedro pela primeira vez. E que não queria preocupar ninguém com aquilo, já que todos estávamos sofrendo, cada um ao seu modo. Então Marta me abraçou com preocupação e tristeza. Um pouco de remorso, talvez.

Chegando na área escolhida, abrimos a comporta e retiramos a árvore. Um funcionário do parque havia nos acompanhado para ajudar a encontrar o melhor lugar, e também para auxiliar com o plantio da sequoia.

Quando desci da caminhonete, fui direto à grade que nos separava do lago onde estavam os crocodilos. Fiquei olhando para cada centímetro daquele espelho d'água, demorei alguns minutos, e então eu o encontrei atrás de umas taboas. O velho crocodilo imóvel que me dava calafrios. Senti novamente um torpor, mas tentei disfarçar. Tremia um pouco.

"Aquele crocodilo ali...", gritei e apontei o dedo.

"Qual?", perguntou o funcionário do zoo.

"O maior. O escondido nas taboas..."

"O que é que tem?"

"Qual é a idade dele?"

"Ah, esse tem mais de cem anos. Está há pelo menos quarenta anos aqui conosco."

Era ele. O crocodilo do Pedro. O crocodilo. O Pedro.

Com seus pequenos olhos flutuando sobre a palidez de um lago de águas aparentemente calmas.

Às vezes adormecido, ainda que sempre à espreita.

Como um ser que se esconde e que, entretanto, não quer apenas camuflar a turbulência impenetrável, mas também o monstro humano que deseja vir à tona.

Depois que o funcionário abriu um buraco num pequeno platô que dava uma visão bem ampla para o lago dos crocodilos, agradecemos a ele e dissemos que não se incomodasse, pois nós mesmos plantaríamos a sequoia. Ele nos olhou, deu um sorriso e disse que a árvore ficaria bem ali.

Olhamos agradecidos para o rapaz gentil. Depois, sentamos os três à beira do buraco e ficamos observando os crocodilos. Três ou quatro deles se mexiam. O maior, a besta-fera, continuava imóvel. Ficamos um bom tempo ali, sem dizer uma palavra. Então levantamos e Thomaz e eu acomodamos a sequoia com todo o cuidado no grande buraco cavado, endireitando o tronco com a terra pisada. Ela nasceria reta e longilínea. Nessa hora, Thomaz pediu licença.

"Bem, meus amigos, esse momento é só de vocês. Espero os dois no carro."

Ele então se aproximou e, de forma confusa, demos todos uma espécie de abraço triplo. Um abraço confuso entre três velhos amigos.

"Obrigado por tudo, Thomaz", eu disse, olhando diretamente nos seus olhos.

Ele apenas deu um sorriso sem graça e então partiu. Logo, Marta apanhou a urna que estava guardada em uma bolsa de mão e ficamos os dois de pé em frente ao buraco.

"Quer dizer alguma coisa?", perguntei.

Marta permaneceu em silêncio um tempo, olhando fixamente para aquela urna em sua mão. Sabia que a partir daquele feito não teria mais como voltar atrás.

"Acho que o Pedro ficaria feliz por estar aqui, para sempre ao lado da sua sequoia..."

Olhei para ela e concordei com a cabeça. Marta enfim abriu a urna e, curvando o corpo, derrubou aos poucos as cinzas do Pedro, que rapidamente se deitaram sobre as raízes de sua árvore. Assim que tudo terminou, ficamos um minuto parados, sem dizer nada um ao outro. Depois, pegamos as pás e atiramos terra e mais terra até ficarmos com os braços completamente doloridos, e o buraco bem cheio. Ainda pisamos ao redor da árvore várias vezes para assentá-la direito ao solo. Estávamos imundos.

Ficou bonita a sequoia na terra. De pé, Marta parecia observá-la como se estivesse admirando a criança que Pedro havia sido um dia. E, então, ela sorriu. Um sorriso luminoso e reconciliador, como os do passado. Quanto a mim, foi só ali, naquele exato momento, com aquele sol que parecia filtrar toda a tristeza e a resignação que nos atingiu naquela semana, que compreendi, finalmente, que a morte, assim como a vida, não tem qualquer explicação. Tudo o que está vivo é absurdo. Tudo o que morre é consequência de ter estado vivo. E só o que resta é a jornada de cada um. E o nosso filho, o Pedro, sem sombra de dúvida vivera a sua da melhor maneira que pôde.

Foi então que, às nossas costas, escutamos um forte estrondo vindo do lago. E, quando voltamos nossos olhares, presenciamos o improvável: o grande crocodilo começara a nadar.

ESTA OBRA FOI COMPOSTA PELO GRUPO DE CRIAÇÃO EM ELECTRA E
IMPRESSA PELA GRÁFICA BARTIRA EM OFSETE SOBRE PAPEL PÓLEN SOFT
DA SUZANO S.A. PARA A EDITORA SCHWARCZ
EM OUTUBRO DE 2019

A marca FSC® é a garantia de que a madeira utilizada na fabricação do papel deste livro provém de florestas que foram gerenciadas de maneira ambientalmente correta, socialmente justa e economicamente viável, além de outras fontes de origem controlada.